UMA MULHER NO ESCURO

RAPHAEL MONTES

Uma mulher no escuro

1ª reimpressão

COMPANHIA DAS LETRAS

Grafia atualizada segundo o Acordo Ortográfico da Língua Portuguesa de 1990, que entrou em vigor no Brasil em 2009.

Capa
Rafael Nobre

Imagem de capa
Lisa Valder/ Getty Images

Preparação
Lígia Azevedo

Revisão
Angela das Neves
Valquíria Della Pozza

Os personagens e as situações desta obra são reais apenas no universo da ficção; não se referem a pessoas e fatos concretos, e não emitem opinião sobre eles.

Dados Internacionais de Catalogação na Publicação (CIP)
(Câmara Brasileira do Livro, SP, Brasil)

Montes, Raphael
Uma mulher no escuro / Raphael Montes. — 1ª ed. — São Paulo : Companhia das Letras, 2021.

ISBN 978-65-5921-278-1

1. Ficção brasileira I. Título.

21-85789 CDD-B869.3

Índice para catálogo sistemático:
1. Ficção : Literatura brasileira B869.3
Cibele Maria Dias – Bibliotecária – CRB-8/9427

EDITORA SCHWARCZ S.A.
Rua Bandeira Paulista, 702, cj. 32
04532-002 — São Paulo — SP
Telefone: (11) 3707-3500
www.companhiadasletras.com.br
www.blogdacompanhia.com.br
facebook.com/companhiadasletras
instagram.com/companhiadasletras
twitter.com/cialetras

Ao meu avô Menezes, que me conta muitas histórias

A noite era o momento das afinidades bestiais,
de aproximar-se mais de si mesmo.
Patricia Highsmith, *Strangers on a Train*

Prólogo

31 de maio de 1998 — domingo

Victoria acordou com o latido dos cachorros no quintal da vizinha. Assustada, sentou na cama e olhou pela janela do quarto, no segundo andar da casa. Ainda era noite. Lá fora, sua árvore favorita balançava com o vento forte. As folhas secas se soltavam e batiam no vidro antes de cair no jardim dos fundos. Diante do armário, a pilha de caixas de presente criava uma sombra de aparência monstruosa. Ela acendeu o abajur, pegou Abu e ficou abraçada ao ursinho branco sob o lençol. Permaneceu alguns segundos parada, com os olhos bem abertos, encarando as estrelas que papai colara no teto brilharem no escuro.

Estava com sede, mas a preguiça de descer as escadas até a cozinha era maior do que tudo. O sábado tinha sido incrível, mas cansativo. Para comemorar o aniversário dela, papai e mamãe tinham feito uma festa de princesa. O quintal fora enfeitado com coroas douradas e bexigas coloridas. Havia um bolo enorme, doces, cachorro-quente e pipoca. As amiguinhas da escola e o pessoal da rua tinham sido convidados. Victoria usara um vestido de princesa, e papai e mamãe haviam lhe dado de presente o lacinho mais bonito que já tinha visto, prateado e com brilhantes. Ela havia corrido o dia inteiro de um lado para o outro, dançado Chiquititas com as amigas — *mexe, mexe, mexe com as mãos* —, ganhado muitos presentes e cantado parabéns.

Agora, seus pés ardiam. Os cachorros continuavam a latir, cada vez com mais raiva. Era estranho, porque eles costumavam ser mansos, diferente dos gatos da d. Teresinha. Victoria adorava rolar com os cachorros na grama, ficava toda suja de lama, e a mãe não se importava. Então, veio outro som: um gemido alto, agudo, interrompido de repente. De dentro da casa.

Ela colocou os pés para fora da cama, pegou os óculos no criado-mudo e, ainda agarrada a Abu, deslizou pelo chão com as meias coloridas que ganhara da tia Emília. Girou a maçaneta e arriscou dar alguns passos para fora, sem acender a luz. Gritos vinham do quarto dos adultos, no início do corredor. Uma luz amarela escapava por debaixo da porta, iluminando os primeiros degraus da escada. Mamãe chorava aos soluços, papai falava alto, de um jeito que não era dele, e parecia nervoso. Estavam brigando?

"Não precisa ter medo, Abu", Victoria murmurou para o ursinho.

Como era possível que Eric não estivesse escutando? Era verdade que o irmão dormia pesado e roncava alto, mas... O choro da mãe ficou mais alto. Victoria ouviu uma voz que não reconheceu. Eric também estava envolvido na briga? Os pais deviam estar dando uma bronca nele por sair escondido. Victoria sabia muito bem que era feio mentir, mas o irmão, que já tinha dez anos, parecia ainda não ter aprendido.

Uma mão agarrou seu braço enquanto outra tapou sua boca, impedindo-a de gritar. Victoria chutou o ar.

"Calma, sou eu."

Ela reconheceu a voz do irmão e parou de se debater. Pensou em reclamar por conta do susto, mas algo no rosto dele a fez ficar quieta na mesma hora. Victoria nunca o tinha visto tão pálido.

“Tem alguém aqui”, Eric disse, baixinho, puxando a irmã para o quarto dele.

Eric fechou a porta devagar e girou a chave. O lugar fedia a chiclete, chulé e biscoito. Ela ajeitou os óculos no rosto para ver melhor o que o irmão estava procurando no fundo do armário. Quando ele se virou, segurava o sabre de luz que ganhara no aniversário de nove anos.

“Vai pra debaixo da cama, Vic.”

A menina obedeceu depressa, ficando de barriga para baixo. Do lado de fora do quarto, a confusão continuava. Os latidos aumentaram e eles escutaram o estrondo de algo pesado rolando pela escada, como um móvel ou uma mala de viagem. Não dava mais para escutar a voz do papai. De repente, os gritos da mãe se tornaram distantes, como se tivesse descido para a cozinha. Em vez de chorar, ela implorava por ajuda. Victoria esticou a cabeça para fora da proteção da cama.

“Fica aqui”, Eric mandou. Ainda que tentasse disfarçar o medo, as pernas dele tremiam. “Vou chamar a polícia.”

O único telefone da casa ficava no térreo, ao lado da televisão da sala.

“Não”, ela disse, começando a chorar baixinho. “Não vai.”

Eric se aproximou da porta e a destrancou devagar, pronto para enfrentar o que quer que fosse. Ele ergueu o sabre de luz em posição de ataque. Victoria se esforçou para ver o que podia de onde estava: a porta entreaberta, o tapete sujo, os pés descalços do irmão desaparecendo no corredor escuro. Esperou alguns segundos. Não conseguia ouvir mais nada. Nem gritos nem ofensas. Nenhum sinal do papai ou da mamãe. Só os latidos lá longe.

Era como se tudo não passasse de um pesadelo. Mas seu coração batia forte, lembrando que aquilo era bem real.

Victoria percebeu então que estava fazendo xixi nas calças. Ia levar uma bronca da mãe. Talvez até ficasse de castigo, o que ela odiava. Ia explicar que tinha ficado com medo e... Outro estrondo. Daquela vez, mais perto. Alguém rolou pelo chão, vidros se quebraram. Eric urrou de dor. Então veio uma sequência de baques surdos, como objetos quebrados. Ela nunca tinha ouvido uma briga do tipo. Queria fazer algo, mas estava paralisada.

Eric surgiu em seu campo de visão, rastejando no chão. Ele a encarou por um instante. Havia horror em seus olhos. Levou o indicador trêmulo à boca, para que Victoria permanecesse em silêncio. Ela notou o sangue nas pernas dele e sufocou um grito. Um vulto apareceu na porta, ergueu Eric pela gola e o jogou na cama com força. Victoria deitou de lado e envolveu os joelhos com os braços, mantendo Abu dentro da conchinha. A cada golpe, os gritos do irmão perdiam força, transformados em sussurros gorgolejantes. Filetes de sangue escorriam pela beirada da cama e gotejavam perto dela.

Tsssss. De onde Victoria conhecia aquele barulho? *Tsssss*. Um cheiro forte invadiu o quarto e ela sentiu a cabeça girar. Tapou o nariz e fechou a boca, como fazia ao mergulhar na piscina, mas não conseguiu segurar por muito tempo. Tossiu baixinho. O invasor estagnou, percebendo sua presença. Antes que ele se agachasse, Victoria deixou Abu para trás e rolou para fora da cama. Saiu correndo sem olhar para trás. Sabia que o homem estava atrás dela.

"Mamãe! Papai!", gritou no topo da escada. A voz ecoou até se perder na imensidão da sala.

Desceu correndo. Um breu completo engolia a cozinha. A sala estava iluminada apenas pela televisão ligada no mudo, que exibia um filme. As bandeirinhas coloridas e as letras de "Feliz aniversário" continuavam coladas no espelho com fita adesiva. Ainda havia embalagens vazias de docinhos, pratos de plástico usados e guardanapos amassados sobre a mesa. No chão, bexigas pisoteadas e migalhas de bolo e pão de cachorro-quente que tinham caído durante a festa.

Ela deu a volta no sofá para chegar à saída dos fundos. Ao se aproximar, viu a porta de correr entreaberta. Duas pernas brancas se estendiam sobre o batente, como sacos de açúcar caídos. Victoria logo reconheceu a camisola. Correu na direção da mãe e se agachou, desesperada. Sangue saía do peito dela, no ritmo da respiração precária. Ainda estava viva, mas Victoria não tinha coragem de encostar nela. Havia sangue demais.

Corre, a mãe fez com os lábios, sem produzir som. A garganta dela parecia uma boca escancarada em um sorriso esquisito.

A luz da televisão ficou mais clara de repente, e Victoria pôde ver melhor o rosto da mãe. Estava completamente preto, como se coberto por uma tinta viscosa. A menina amava a mãe, amava o pai, amava o irmão. Precisava fazer alguma coisa. Chamar a polícia ou... Ela correu até o móvel da TV e escalou as prateleiras para chegar ao telefone. Discou depressa o único número que sabia de cor e esperou. Atenderam rápido.

"Tia Emília, me ajuda", Victoria conseguiu dizer antes de ser puxada para trás com violência.

O fone se espatifou. O invasor espremeu o corpinho dela contra o sofá e montou em cima dele, imobilizando suas pernas e tapando sua boca com a mão. Victoria ainda estava aprendendo a rezar o pai-nosso e tentou se lembrar das frases iniciais. Não conseguiu. Agitou os braços, mas o invasor era mais forte. Os óculos dela voaram longe. Notou o rosto embaçado do homem, os cabelos cacheados na altura dos olhos pretos. Ele ergueu o braço direito, segurando a faca enorme que tremeluziu no contraste com a luz, pingando sangue. Victoria fechou os olhos no primeiro golpe. Uma dor lancinante se espalhou depressa por todos os músculos conforme a lâmina rasgava a perna. Veio outro. Sua energia ia embora, não adiantava lutar…

Então, de repente, as investidas cessaram. O invasor jogou a faca longe e pegou algo no cinto de ferramentas. Sacudiu o objeto e mirou na direção dela. A menina reuniu forças e gritou o mais alto que podia, mas era tarde demais. Sentiu de novo o cheiro ruim, os olhos arderam e um gosto amargo desceu pela garganta.

Tsssss.

Na madrugada de seu aniversário de quatro anos, Victoria mergulhou na escuridão.

VINTE ANOS DEPOIS

Não é fácil ser Victoria Bravo. Eu a observo todos os dias. Conheço seus horários, suas manias, seus lugares preferidos. Sei quais remédios toma, de que desenhos animados mais gosta, o que compra no mercado. Conheço seus medos e seus segredos mais bem guardados. Sei que visita a tia-avó quando está de folga, que adora passar o sábado em casa e que frequenta sozinha sessões de cinema à meia-noite. Eu a acompanho à distância. Perco noites de sono observando a única janela de seu apartamento e pensando nela.

As poucas horas que passamos juntos a cada semana são deliciosas, repletas de sutilezas, de palavras não ditas, de olhares carregados de sentido. Mas Victoria é escorregadia. Já estamos nessa há muito tempo, sem que haja qualquer evolução. Um passo, depois outro, então de volta ao início. Sinto que é o momento de avançar, de conquistar mais espaço. Minhas mãos suam, meu coração palpita. Mal vejo a hora.

Desta vez, não tenho dúvidas de que será maravilhoso.

1.

Na esquina do prédio, Victoria parou um instante, pegou a aliança de latão no bolso da calça e a vestiu na mão direita, enquanto Arroz fazia o mesmo com a aliança dele. Ela olhou para cima até encontrar a placa amarela de ALUGA-SE pendurada na janela do quarto andar. Havia dois vasos de flores no parapeito e um adesivo grande colado no vidro, ilegível àquela distância. O prédio era antigo, com fachada pintada de bege e um bonito arco de mármore na entrada.

"Não foi difícil agendar", Arroz disse, com um sorriso cúmplice.

Seguiram lado a lado pela calçada de pedras portuguesas, sem dar as mãos. O porteiro interfonou para o apartamento 407 e a subida deles foi autorizada. Saindo do elevador, Victoria e Arroz tomaram um corredor largo com tapete vermelho até a porta. Ela tocou a campainha, já escutando os sons lá dentro: um programa de TV infantil, alguém correndo pelo piso de madeira, a porta de um armário batendo e então o giro da chave.

A mulher que abriu não devia ter mais do que quarenta

anos, mas parecia saída de uma guerra: os cabelos presos num coque mal-ajambrado, a blusa branca com manchas do que parecia ser molho de tomate, o rosto cansado. Arroz a cumprimentou enquanto Victoria colocava estrategicamente as mãos nos bolsos, fazendo um gesto com a cabeça que tornava desnecessário outro cumprimento. Não era pessoal: ela evitava ao máximo qualquer proximidade física. A anfitriã abriu passagem e disse para ficarem à vontade. Aquele era o momento de que Victoria mais gostava: o primeiro contato com o lugar, com os cheiros, com as cores, com os móveis, com os moradores. Um bombardeio de pequenas informações bastante reveladoras.

A sala era ampla e bonita, com uma mesa redonda próxima à porta, pedaços de moldura recostados nos cantos, latas de tinta abertas, alguns quadros abstratos presos às paredes, diversos brinquedos espalhados pelo chão e um sofá preto onde um menino de cabelos loiros de uns seis anos estava deitado, com os joelhos dobrados, assistindo a um desenho animado no tablet (*O show da Luna*, se Victoria não estava enganada). O garoto não tirou os olhos da tela quando eles entraram.

Victoria se aproximou da janela com a placa amarela para ver de perto o adesivo no vidro: AQUI MORA GENTE FELIZ, com quatro bonequinhos tipo palito de mãos dadas — papai, mamãe, um menino e uma menina. Era provável que a mulher fosse artista plástica, mas estava claro que, no momento, sua principal função era ser mãe — bastava reparar nos bolsões sob os olhos, típicos de noites em claro. Devia ser casada com um homem que era tanto provedor quanto machista: ele ganhava o dinheiro, ela carregava as crianças nas costas.

Ao virar para a dona da casa, Victoria reparou que também era observada. Havia um incômodo no ar, advindo da sutil perturbação causada pela visita de estranhos.

"Noivos?", a mulher perguntou, forçando simpatia.

"Isso", Arroz disse, mostrando a aliança. "Vamos casar daqui a três meses."

"A gente mora aqui desde que casou. Mas meu marido foi transferido pra Houston e vamos todos pra lá."

Bingo!, Victoria pensou. *A esposa obediente que acompanha o marido bem-sucedido ao redor do mundo.*

"Fomos muito felizes aqui", a dona da casa continuou. "A gente gosta tanto do apartamento que não vai se desfazer dele. A ideia é alugar para um casal legal e confiável."

"Somos nós", Arroz disse, e deu uma risada exagerada.

Victoria tinha muita vontade de saber o que a mulher pensava deles. Naquele dia, vestia calça larga de pijama e um blusão azul-marinho confortável, mas não deixara de colocar o lacinho que sempre usava nos cabelos curtos. Arroz tampouco tinha uma aparência das mais normais. Era magro e alto, com quase dois metros, e tinha uma cabeleira preta e volumosa que, quando solta, passava dos ombros. Caminhava meio encurvado, com os braços longos e as mãos enormes jogados ao lado do corpo, como um gigante ossudo e deprimido. Victoria não sabia a idade exata dele. Devia ter uns trinta e tantos, mas se vestia como um adolescente rebelde: bermudas coloridas, camisetas com referências pop (a do dia estampava o pôster de *Pulp Fiction*, mas ela já vira outras de *Laranja mecânica*, *Breaking Bad*, Queen, Iron Maiden...), tênis de corrida e bonés com a aba para trás, escondendo o cabelo. Era bem provável que a mulher os enxergasse como um casal alternativo ou só esquisito.

"Aliás, meu nome é Márcia. Muito prazer."

"Felipe", Arroz disse.

"Bianca", Victoria disse.

Márcia os guiou pelo corredor até o restante da casa, enquanto fazia comentários sobre a vizinhança, o síndico e as comodidades daquela região de Botafogo, que se tornara um polo gastronômico nos últimos anos. No banheiro, o chuveiro gotejava, molhando o tapete. Márcia girou a torneira com raiva para fechá-la direito.

"Crianças...", disse, com um suspiro. "Enlouquecem a gente às vezes."

Sobre uma bancada de mármore, havia uma bagunça de vidros de perfume, loção pós-barba, pentes, sabonetes, uma caixa com esmaltes e um copo alto com quatro escovas de dente e uma pasta infantil. Victoria deixou que Márcia seguisse na frente e aproveitou para mexer no copo. Havia duas escovas menores, uma do Buzz Lightyear e outra da Cinderela. Ambas estavam molhadas pelo uso recente. Ela pegou a pasta de dente, espremeu um pouco na palma da mão e lambeu. O gosto reconfortante de morango logo melhorou seu humor.

O primeiro quarto no corredor era do casal. As portas dos armários estavam entreabertas, revelando roupas empilhadas. Havia uma guitarra recostada num canto, próxima à cabeceira oposta da cama bagunçada. Victoria sentiu cheiro de amêndoa no ar, mas não identificou de onde vinha. Enquanto seguiam para o segundo quarto, uma menina de cabelos loiros passou correndo por eles, esbarrando em Arroz enquanto gritava alguma coisa para o irmão.

"Vocês querem ter filhos?", Márcia perguntou.

Victoria e Arroz se entreolharam.

"Sim", ele respondeu. "É o plano para o ano que vem."

"São dois quartos. Enquanto isso, vocês podem usar como escritório ou sala de TV..."

A mulher continuou falando sobre as vantagens do apartamento e as possibilidades de organização dos cômodos. Arroz interagia com ela, fazia perguntas como um cliente interessado. Era impressionante a facilidade que ele tinha de mentir. Para

Victoria, era sempre mais difícil. Ela ficava vermelha e com os lábios trêmulos.

Arroz entrara na vida dela de modo inusitado: tinham se conhecido havia dois anos pela internet, em um fórum de *The Sims*. Na época, Victoria já se tratava com o dr. Max e as coisas estavam se ajeitando. Depois de meses de conversa on-line, ela aceitou encontrar Arroz numa lanchonete, incentivada pelo psiquiatra, que insistia na importância da formação de laços.

Em pouco tempo, Arroz havia se tornado o melhor amigo de Victoria. Ela gostava do modo como ele ria, com os ombros abertos e jogando o queixo protuberante para cima e para baixo, gostava de seu entusiasmo por bandas e filmes que ninguém conhecia. Também gostava do fato de saber pouco sobre ele: só que morava sozinho em Copacabana, tinha se formado em enfermagem mas trabalhava com tecnologia e suas grandes paixões eram jogos de tabuleiro e eletrônicos em geral. Victoria não conhecia outros amigos dele, não sabia de onde tirava dinheiro (ela se desdobrava para pagar as contas do apartamento e da casa de repouso com seu salário de garçonete e a aposentadoria da tia-avó), não tinha ideia do seu nome verdadeiro — Arroz já quisera contar, mas ela havia tapado os ouvidos. Toda vez que ele vinha com qualquer informação mais pessoal, Victoria fazia questão de mudar de assunto. Assim, ele também não podia perguntar sobre a vida dela.

Para Victoria, aqueles encontros de domingo eram sempre divertidos. No início, ela fora resistente a conhecer o apartamento dele, mas acabara cedendo. Arroz preparava "estrogonofe falso" (só com champignon e creme de leite), colocava rock inglês para tocar bem alto no modo aleatório e posicionava a lente do telescópio Greika na janela, de modo que pudessem ver a rua, a praça e os prédios do outro lado. Era como um jogo: observavam domésticas limpando janelas, um jovem estudando saxofone, uma mulher diante do computador, gringos de pele vermelha se preparando para ir à praia e imaginavam como seria a vida deles.

Victoria não sabia como a brincadeira havia evoluído nem se lembrava direito de quem tinha dado a ideia, mas a partir de algum momento eles decidiram observar a vida dos outros mais de perto. Arroz agendava visitas a apartamentos anunciados para alugar ou vender, mas só escolhia os que ainda estivessem ocupados. Enquanto passeava pelos cômodos, Victoria gostava de observar minúcias: um porta-joias lascado com uma bailarina na tampa, duas malas de viagem deitadas no chão cheias de casacos, uma cristaleira com taças enfileiradas dentro, o estojo de um violoncelo. Ia juntando um detalhe aqui, registrando uma informação ali e, pouco a pouco, construía o mosaico imaginário da família. Entendia seus mecanismos, seus orgulhos, suas conquistas e seus projetos. Era curioso presenciar histórias em andamento, rotinas interrompidas pela obrigação burocrática de "mostrar o apartamento", a privacidade exposta como quadros num museu caótico de quartos, cozinha e banheiros. Era como se a vida normal daquelas pessoas fosse contagiante.

A visita daquele domingo durou pouco mais de meia hora. Ao final, Arroz prometeu que entraria em contato, o que com certeza não faria. De volta à rua, os dois comentaram suas impressões. Ele também achara que a mulher parecia ter sido atropelada por um trator, mas nem lhe ocorrera desconfiar do marido. Colocara todo o peso nas crianças e na arte.

"Talvez ela tenha passado a madrugada pintando", Arroz disse.

Victoria, como sempre, fez com que ele falasse bastante durante o trajeto até o metrô para que não focasse sua atenção nela. Ainda que tivesse prática, preferia se garantir quando enfrentava longas distâncias em lugares abertos. Ao chegar à estação, Arroz sugeriu continuar a conversa num bar ali perto. Ainda estava claro, e ela concordou. Pediram batata frita, o que havia de mais barato no cardápio. Arroz ficou entre beber caipirinha ou cerveja, e acabou escolhendo a segunda opção.

"Quer uma também, Vic?"

"Não bebo, você sabe."

"Ah, só um pouquinho, vai. Por minha conta. Pra você relaxar."

Ela odiava que ele insistisse.

"Já disse que não."

Arroz deu de ombros e cruzou os braços enquanto o garçom enchia seu copo. Victoria teve uma vontade súbita de pular em cima dele, roubar a garrafa e beber tudo de uma vez só, mas se conteve. O amigo não tinha culpa: não sabia do problema dela com bebida. Victoria endireitou a coluna, ajeitou o lacinho nos cabelos e tentou pensar em outras coisas para evitar o som tentador do líquido enchendo o copo. A porção de batata frita chegou logo.

"De onde você tirou Bianca?", Arroz perguntou.

"Do mesmo lugar de onde você tirou Felipe."

"Perguntei porque Bianca era o nome da minha mãe."

Ela não queria entrar naquele terreno, então deu de ombros.

"Coincidência..."

"É."

Ele girou o copo na mão por alguns segundos, pensativo.

"Você pretende casar um dia, Vic?"

"Claro que não", ela disse na mesma hora, na defensiva. "Nem pensar."

Era um assunto complexo. Visitar o apartamento de uma desconhecida esgotada por causa dos dois filhos, ainda que lindos, não era suficiente para que ela criasse ilusões. Victoria sabia bem como era ter uma família e, de repente, não ter mais nada.

Sabia como era perder tudo num piscar de olhos. Não tinha forças para aquilo.

Enquanto observava Arroz bebendo, mastigou uma batata frita, reprimindo a saliva que enchia sua boca. Não bebia havia tempo, mas ainda se sentia no limite, como se a abstinência tivesse começado no dia anterior. Na pior época, seus porres não eram de cerveja, e sim de catuaba, vodca e cachaça vagabundas. A lembrança do gosto adocicado e das dores de cabeça no dia seguinte lhe causou náuseas. Era hora de ir embora.

"Vou nessa", disse, ficando de pé.

"Pra casa?"

Victoria fez que sim com a cabeça. Ela morava num pequeno quarto e sala na Lapa. Gostava do lugar, mas por algum motivo tinha dificuldade de chamá-lo de casa.

"Vamos juntos", Arroz disse, virando a cerveja. "Vou encontrar uns amigos ali perto, no Circo Voador."

Parecia uma desculpa esfarrapada, mas ela não podia recusar a companhia. Precisava ser maleável, compartimentar menos as áreas de sua vida, como o psiquiatra vivia dizendo. Pegaram juntos o metrô até a estação Cinelândia, conversando sobre séries de TV e inventando histórias sobre as pessoas no vagão. Passaram pelo cinema Odeon e seguiram até os Arcos da Lapa, parando em frente ao Circo Voador lotado, com barracas de comida e bebida, e cambistas oferecendo ingressos.

"Obrigada pela companhia", Victoria disse, esperando uma brecha no fluxo de carros para atravessar a avenida Mem de Sá. "Já vou indo."

Arroz entrou na frente dela. Ele era mesmo muito alto. Observou-a em silêncio por um instante. Depois, olhou de relance as pessoas que passavam na direção da casa de shows, então voltou a olhar para ela.

"Poxa, Vic, você já foi tantas vezes lá em casa...", ele disse, num tom lamurioso. "Nunca vai me convidar pra conhecer seu esconderijo?"

Seu falso ar indefeso e a voracidade de seu olhar a irritaram. Victoria cerrou os punhos e contou até vinte em silêncio, como o médico havia orientado. As unhas roídas pressionaram as palmas das mãos com força.

"Não quero."

Ele deu um passo à frente e segurou o braço dela, aproximando o rosto.

"A gente tem uma conexão especial, Vic. O que falta pra você entender isso?"

"Por favor, para..."

Num gesto rápido, ele a puxou e suas bocas se tocaram. Victoria foi pega de surpresa. Durou apenas um segundo, mas o corpo dela fervilhava. Victoria desviou os olhos, percebendo sem querer a sombra de dois garotos encapuzados do outro lado da rua pichando BOQUETE em letras estilizadas num muro. Uma energia ruim a dominou, e uma dor que rasgava o cérebro e fazia seus lábios formigarem surgiu.

"Você é um monstro!", ela gritou, empurrando-o.

Arroz tropeçou na calçada e caiu próximo a um mendigo que cochilava aos pés dos Arcos. Victoria foi embora sem olhar para trás. Esbarrou em um grupo de jovens bêbados que zombaram de sua pressa e quase foi atropelada por um carro em alta velocidade quando atravessou o posto de gasolina na direção da rua Riachuelo, passando pelos muros grafitados, pelas ladeiras mal iluminadas e pelo cheiro de urina que emanava das esquinas imundas. Não conseguia raciocinar direito. Aquilo não era bom. Tinha que manter o controle, mas era impossível depois do que Arroz tinha feito. Pensou em ligar para o dr. Max, mas logo desistiu. Tirou a aliança de latão e jogou em uma boca de lobo.

Chegando ao apartamento, correu direto para o chuveiro,

de roupa e tudo. Continuou se sentindo elétrica, apesar da água quente. Pegou o sabonete e, escorada na parede, esfregou-o com força na pele. Sem conseguir se conter, chorou convulsivamente, torta sob o jato d'água, enquanto a espuma escorria por seu corpo e descia em espiral pelo ralo.

2.

A noite não foi tranquila. A menstruação chegara com força, e as cólicas pareciam revirar o útero. Victoria se mexeu de um lado para o outro na cama e levantou cinco vezes durante a madrugada para ir ao banheiro, beber água ou caminhar pela casa. Quando conseguiu dormir, teve um pesadelo em que era observada por mil olhos. Acordou gritando, suando frio, com uma pressão esquisita ao redor do pescoço, como se houvesse algo travado em sua garganta.

Quando amanheceu, encontrou no celular uma infinidade de mensagens de Arroz pedindo desculpas. Ela não estava a fim de falar com ele nem com ninguém. Cogitou faltar à sessão, mas sabia que poderia piorar a situação e estragar a semana que só estava começando. Sentada na privada, tirou o absorvente, evitando encarar os coágulos. Tomou um banho rápido e, enquanto se vestia, olhou sem querer o espelho, o que só fez aumentar seu mal-estar. Não gostava nem um pouco de sua aparência: os olhos azuis sustentados por bolsões de pele acumulada em um rosto quadrado com maxilar largo. Os óculos de armação grossa faziam com que se sentisse ainda menos feminina. Era branca demais (vivia cheia de vermelhidões pelo corpo), e seus quarenta e oito quilos distribuídos em um metro e sessenta e cinco a deixavam com uma aparência esquelética. Isso sem falar no resto.

Diante da pia, realizou seu "ritual diário de envenenamento": clordiazepóxido, cinquenta miligramas; quetiapina, cinquenta miligramas; ácido valproico, setecentos e cinquenta miligramas; venlafaxina, cinquenta miligramas; risperidona, um miligrama. A poção mágica do dr. Max. Engoliu tudo com um copo d'água.

Victoria pegou o celular, a mochila jeans e Abu, que estava sobre a cama, e foi para a cozinha. O relógio do micro-ondas confirmou seu atraso. Ela engoliu um copo de leite e colocou duas bananas escuras na mochila, para comer no intervalo do trabalho. Deu um beijo em Abu, deixou-o sobre o aparador da entrada, bateu a porta e se apoiou no corrimão para descer os quatro lances de escada o mais rápido que podia. A maioria dos prédios naquela região não contava com elevador ou porteiro, mas isso também tinha suas vantagens: as chances de cruzar com alguém eram menores. Os vizinhos eram quietos e solitários, ocupados com a própria vida. Victoria sabia que em seu andar moravam um senhor cego, duas irmãs de Goiânia, três prostitutas de diferentes faixas etárias que atendiam no motel com letreiro em néon da esquina e um garoto de programa que certa vez lhe pedira um liquidificador emprestado.

Era uma segunda-feira nublada. Ela resolveu tomar um caminho mais longo, ainda que estivesse atrasada, só para não passar pelo lugar de onde tinha fugido de Arroz na noite anterior. Avançou de cabeça baixa pelo canto da rua do Lavradio, evitando a calçada invadida por um mar fedorento de executivos suados, mulheres com bolsas enormes e camelôs gritando a plenos pulmões como trovadores da Idade Média. Não entendia pessoas que gostavam de fazer barulho: na verdade, tinha até certo medo delas, e com o medo vinha a irritação. Era como um círculo vicioso.

Mesmo com pressa, levou vinte minutos para chegar a pé ao consultório. O dr. Max passara a fazer parte da rotina de Victoria havia três anos. O dr. João Carlos, psiquiatra que a tratava desde a infância, havia morrido num acidente de carro, e o luto só fizera com que ela afundasse ainda mais na merda. Victoria perdera o emprego no restaurante onde trabalhava como bartender (o dono percebeu que as garrafas de vodca estavam indo rápido demais e não tardou a descobrir que ela virava duas doses a cada uma que servia). Os dias eram contados de ressaca em ressaca. Victoria não sabia onde estaria se o dr. Max não tivesse aparecido.

Certa noite naquele período obscuro, ela chegou em sua antiga quitinete no bairro Santo Cristo e decidiu que precisava de um copo de leite quente. Colocou a panela no fogo, mas acabou pegando no sono no sofá antes de tirá-la. Não acordou nem mesmo quando uma fagulha alcançou a capa do fogão, derretendo o plástico e se espalhando depressa. Antes que fosse tarde demais, um vizinho percebeu o cheiro de queimado e chamou os bombeiros. Dias depois, quando Victoria ainda estava no hospital, o dr. Max ligou. Um resto de autopreservação fez com que ela atendesse e aceitasse encontrá-lo no McDonald's do largo da Carioca.

"Seu caso me interessa muito", ele havia dito, sem preâmbulos. "Tenho me dedicado a analisar o impacto dos traumas de infância na saúde mental e física do adulto. Para ser honesto, não é algo inédito. Existem milhares de casos de crianças abusadas ou maltratadas que desenvolveram transtornos como bipolaridade, depressão, alcoolismo... Há estudos completos sobre o assunto, inclusive. Mas não pretendo inventar a roda, só quero conhecer melhor os mecanismos operando. Longe de mim menosprezar a experiência traumática de outras crianças, mas me especializei em casos mais... extremos. Crianças envolvidas em grandes tragédias, submetidas a altas doses de violência física ou psíquica. Atualmente, recebo no meu consultório o Lourenço, filho do Vampiro de Caxias, e o Samuel, do Lido. Você deve se lembrar deles."

Claro que ela lembrava. As duas histórias com frequência eram associadas ao passado dela em matérias jornalísticas. Em 2005, o *Fantástico* fizera uma reportagem especial destacando padrões entre os três casos, com tabelas multicoloridas.

O Vampiro de Caxias era um assassino em série que havia agido em bairros do subúrbio carioca no início dos anos 1990. O sujeito degolava mulheres e sumia com a cabeça delas. Depois de cinco anos de investigação e de terror entre a população, a polícia chegou ao criminoso: um mecânico de quarenta anos, viúvo, que vivia com o filho em uma casa humilde em Duque de Caxias. Ele realizava rituais satânicos nos fundos, bebendo o sangue das vítimas e pregando seus globos oculares em imagens profanas.

Na garagem, a polícia encontrou mais de vinte cabeças apodrecidas dispostas lado a lado, como uma espécie de santuário. Na época, os jornais afirmaram que o criminoso obrigava o filho de dez anos a participar dos rituais. Victoria tivera vontade de perguntar ao psiquiatra se o menino bebia mesmo o sangue das vítimas junto com o pai, mas se controlara.

O caso do Lido era posterior ao dela. Havia estourado em abril de 2000. O bebê de uma moradora de rua fora adotado de modo ilegal por um casal de idosos de classe média que vivia em um apartamento na praça do Lido, em Copacabana. Os velhos tratavam o garoto, Samuel, como um animal, alimentando-o com ração, obrigando-o a urinar e defecar em folhas de jornal na área de serviço e fazendo-o dormir numa casinha, com dois pinschers em miniatura e um chihuahua. O garoto engatinhava de coleira e apanhava. Quando a polícia entrou no apartamento, depois de uma denúncia dos vizinhos, encontrou Samuel, então com onze anos, encolhido em um canto, tremendo e latindo sem parar. Ele não sabia andar sobre duas pernas ou falar. Não se enxergava como ser humano.

"Sei que sou a melhor pessoa para cuidar de você, Victoria", o dr. Max havia dito. "E não vou te cobrar nada. Preciso de você tanto quanto precisa de mim."

Se ele tratava de Lourenço, o menino que bebia sangue, e de Samuel, o garoto-cão, talvez pudesse mesmo fazer algo por ela. Victoria gostara da objetividade do médico, que não apelara para promessas vazias ou chantagens emocionais. Na semana seguinte, começaram as sessões diárias. Um ano depois, elas passaram a se restringir às segundas, quintas e sextas. Aceitar o tratamento tinha sido a melhor decisão da vida de Victoria.

O consultório ficava no décimo oitavo andar de um prédio comercial na rua do Ouvidor. Às sete e meia em ponto, ela tocou a campainha e começou sua contagem mental. O médico apareceu no olho mágico e girou o trinco quando Victoria estava no número onze.

"Que bom te ver, Vic", ele disse, caloroso como sempre.

Depois do que havia acontecido no dia anterior, ela não tinha vontade de encostar em quem quer que fosse. Cruzou os braços e passou direto, sentando-se na poltrona mais perto dos janelões, abraçada à mochila no colo.

O dr. Max a acompanhou com os olhos, fechando a porta sem dizer nada. Era um sujeito alto, forte, de pele morena e tão lisa que parecia resultado de cirurgias plásticas. Cultivava uma barba grisalha e uma cabeleira volumosa, também grisalha, com fios longos e brilhantes. Sempre vestia roupas claras — naquele dia, uma calça de brim cinza e camisa branca que dava forma aos ombros largos. Sua imagem austera confortava Victoria, e ela teve a certeza de que tinha feito bem em não faltar à sessão.

"Sem lacinho hoje?", ele perguntou, cruzando as pernas.

Victoria levou a mão aos cabelos. *Merda!* Saíra tão transtornada que havia esquecido. Ajeitou uma mecha e desceu o braço devagar, tentando disfarçar a surpresa.

"Resolvi mudar."

Era uma mentira descarada, mas ele não ia contradizê-la.

"Mudar é sempre bom. E as segundas-feiras são ótimas pra isso. Melhores do que as sextas, sem dúvida."

Além dos cabelos grisalhos, o dr. Max tinha um senso de humor antigo, ainda que devesse estar entre os trinta cinco e quarenta anos. Ele pegou a caderneta da mesinha ao lado e a pousou sobre as pernas, deixando a caneta a postos.

"Você parece irritada. Aconteceu alguma coisa?"

"Nada de anormal."

Um silêncio impertinente preencheu a sala. O psiquiatra sabia que Victoria continuava a mentir, e os olhos pretos dele ziguezagueando pelo rosto dela mostravam isso. Com o tempo, Victoria também havia aprendido um pouco sobre linguagem corporal e ganhara maior consciência sobre seus gestos. Contudo, por mais que tentasse se controlar, às vezes era impossível não roer as unhas, encolher os ombros ou retesar a boca. Todos os detalhes a denunciavam.

Ela endireitou a coluna e manteve as pernas juntas, como uma aluna bem-comportada. Buscou fixar os olhos agitados em algum ponto na altura da camisa branca do dr. Max. Um fiapo escapava do botão pouco abaixo do colarinho. Aquela pequena desordem a incomodou ainda mais. O psiquiatra não diria nada até que Victoria decidisse falar. O comando da conversa era dela, e não havia por que esconder do médico o que acontecera no dia anterior. Afinal, era para aquele tipo de coisa que estavam ali.

Com os lábios crispados, Victoria confessou que tinha encontrado Arroz e visitado outro apartamento ocupado, como costumavam fazer aos domingos. Mesmo que o médico nunca tivesse feito nenhum comentário sobre o assunto, ela sabia que ele a julgava e tirava conclusões a partir do hábito. De qualquer maneira, acabou contando que Arroz a acompanhara até a Lapa e, na hora da despedida, forçara um beijo. Procurou falar de modo calmo, pausado, sem revelar toda a raiva que a invadia. O dr. Max vivia dizendo que era importante aprender a controlar as emoções.

"E como você se sentiu?", ele quis saber.

Victoria soltou um suspiro:

"Não acho que tenha exagerado. Ele é que foi um babaca."

"Está irritada com a atitude dele ou com o que ela representa?"

"Como assim?"

O dr. Max mantinha a expressão indiscernível.

"Não tenho por que defender seu amigo, Vic. Sem dúvida, foi errado ele te beijar à força. Muito errado." O psiquiatra deixou a caneta sobre a mesinha, como se não precisasse anotar mais nada. "Mas despertar o interesse de um homem... isso por si só incomoda você?"

"Não quero despertar nada em ninguém."

"Infelizmente, não depende de você. É natural que as pessoas se interessem umas pelas outras."

Victoria não achava que o fato de Arroz ter se declarado tinha muito a ver com ela. Pensava a mesma coisa dos homens que olhavam para seus seios pequenos sob a blusa do uniforme ou lançavam cantadas enquanto ela lhes servia cappuccinos e crepes: paqueravam qualquer uma que vissem pela frente.

"Nem sei como conversar com um homem."

"Você conversa comigo há anos, Vic."

Ela levantou o rosto, passando as mãos suadas na calça. Não

enxergava o dr. Max como homem, mas como médico. Eram coisas bem diferentes.

"Bom, é importante deixar claro que não há motivo para que as pessoas não se interessem por você", ele continuou, baixando a voz.

"Não estou pronta para me envolver com ninguém. Não estou pronta nem para fazer amigos."

O dr. Max recuou, recostando-se no espaldar da poltrona. Entrelaçou as mãos diante da barriga e olhou de relance para o caderninho, hesitando em pegá-lo novamente. A sala estava mais fria, e os pelos dos braços de Victoria se eriçaram. Ela torceu para que a sessão já estivesse no fim.

"E a moça que trabalha no café com você?", o psiquiatra perguntou.

"Margot?"

"Você me disse que ela foi legal com você uma vez."

Victoria deu de ombros. Margot era pouco mais velha do que ela (devia ter uns vinte e seis) e trabalhava atrás do balcão, controlando os pedidos que saíam da cozinha e entregando bandejas às garçonetes. Era morena, tinha cabelos longos e sorriso largo. Certa noite, em meio a uma tempestade de verão, Victoria aceitara uma carona dela até seu prédio. No trajeto de pouco menos de quinze minutos, Margot havia contado sua vida amorosa inteira, incluindo detalhes sobre diversos namorados, o desempenho de cada um na cama e a melhor maneira de ter prazer com sexo anal. Margot dera até dicas para convencer um cara a aceitar um ménage com outro. Victoria se mantivera em silêncio. Ela imaginava como seria ter uma amiga, e a ideia a perturbava em todos os aspectos. Amigas contam tudo umas às outras, acontecimentos, sentimentos, desejos e uma infinidade de coisas que Victoria não tinha a intenção de compartilhar com ninguém.

Além disso, a alegria e o carinho de Margot eram excessivos. Ela era feliz *demais*.

"Melhor não."

"E o escritor que vai ao café de vez em quando?", o psiquiatra perguntou. "Você já me falou dele algumas vezes. Parece simpático e gosta das mesmas músicas que você."

"Sobre o que eu conversaria com ele? Mortes e minha vida de merda?"

"Você não precisa ter vergonha da sua história."

"O cara vai sair correndo na mesma hora. Sou só mais uma garçonete que ele paquera."

"E daí se for isso? Vocês não precisam terminar a noite na cama. Foi difícil conhecer o Arroz, não foi? E isso já tem o quê? Mais de um ano. Talvez seja hora de se aproximar de outras pessoas, vencer o medo."

Ela se irritou. Só podia ser provocação.

"Não tenho medo. Nunca foi uma questão de medo..."

O psiquiatra esperou que continuasse, mas Victoria se calou. Outra mentira. Ela olhou o relógio de pulso: já haviam passado dois minutos do horário do término da sessão. Ela levantou aliviada, já colocando a mochila nas costas.

"Antes de ir... Lembra que eu gravava nossas sessões no começo?"

"Claro, por quê?"

O dr. Max ficou de pé e foi até um móvel. Abriu a terceira gaveta e passou os dedos longos por uma série de pequenos cassetes organizados por data. Ela sempre achara antiquado que o psiquiatra usasse um gravador em vez do celular, mas nunca dissera nada a respeito. Combinava com o estilo dele. Depois de alguns minutos, o dr. Max encontrou a fita que estava procurando e sacudiu-a no ar.

"Esta aqui é da primeira consulta. Se importa que eu toque?"

"Tenho que ir pro trabalho."

"Só o finalzinho. Acho importante que você se escute. Não vai demorar."

Ele pegou um gravador na gaveta e colocou a fita. Passou a gravação para a frente, parando algumas vezes para ver se já estava no ponto certo. Victoria ouviu trechos de frases e perguntas entrecortadas. Voltou a se sentar, fechando os olhos e apoiando os braços na poltrona. Era como ser transportada ao passado. A gravação tinha poucos anos, mas a sensação era de que se tratava de outra pessoa. Aos vinte e um, sua voz ainda era fina e hesitante como a de uma criança, e o álcool embaralhava o ritmo das palavras.

O psiquiatra finalmente encontrou o que queria. Sua voz potente se elevou na gravação, pontuada por ranhuras de som:

"Por que acha que as pessoas fazem sexo, Vic?"

Houve quinze segundos de silêncio na gravação. Então veio a resposta, numa voz inebriada:

"Para sentir dor."

3.

Sentada em uma das mesas externas do bar Amarelinho, na praça da Cinelândia, Victoria já estava arrependida. O sujeito do outro lado da mesa mantinha os olhos fixos no cardápio, enquanto ela amassava um guardanapo sobre as pernas e se perguntava como tinha ido parar ali. Uma série de equívocos, sentimentos confusos e talvez algum alinhamento inédito dos astros tinham feito com que ela aceitasse o convite de Georges para sair depois do expediente.

Até então, ele não significava nada para ela, era apenas um desconhecido que frequentava o café quase todos os dias. Georges chegava cedo, escolhia sempre a mesma mesa de canto, próximo aos janelões e à tomada onde ligava seu laptop, e passava horas digitando e ouvindo playlists new wave no Spotify. Toda vez que ela se aproximava para servir mais café ou oferecer salgados recém-saídos do forno, ele minimizava o arquivo de Word, baixava o headphone para a nuca e começava uma conversa aleatória com ela. Era provável que fosse apenas um roteirista frustrado ou um cara que ganhava a vida postando baboseira em redes sociais. Pagava sempre em dinheiro, por isso ela não sabia seu nome e o chamava apenas de "o escritor" quando se referia a ele mentalmente. Agora, sabia que era Georges.

O garçom se aproximou para saber se já estavam prontos para fazer o pedido.

"Não estou com fome", Victoria disse. Segundas-feiras eram os dias mais cheios no Café Moura. Ela trabalhava da manhã até o fim da tarde, e no intervalo havia engolido depressa um rissole e as duas bananas da mochila. Mastigara tão depressa que se sentia empanturrada. "Você vai comer?"

"Estou sem fome também." Georges apoiou os cotovelos na mesa. "Quer uma cerveja?"

"Não bebo. Mas pede pra você."

"O que você quer?"

"Uma coca."

"Ótimo! Um porre de coca pra mim também!" Georges soltou uma risadinha e devolveu o cardápio ao garçom. "Fiquei feliz que você aceitou meu convite."

Victoria baixou os olhos e conteve o impulso de roer as unhas. Seus dedos estavam quase em carne viva. Antes que o silêncio se instalasse, ela perguntou o que ele fazia todos os dias no café. Sabia que era assim que as pessoas comuns conversavam. Enquanto carregava bandejas entre as mesas, havia escutado fatias de conversa, negócios sendo fechados, reencontros de velhos amigos e declarações de amor malsucedidas. Com sorte, a noite terminaria antes que ele tivesse tempo de perguntar qualquer coisa sobre ela.

Georges não se incomodou em abrir a própria vida. Pelo contrário, falou pelos cotovelos, atropelando palavras e gesticulando muito, enquanto seu corpo escorregava pela cadeira. Victoria via sua boca se mover depressa, mas não prestava atenção. O bar estava cheio, e o cheiro de cerveja velha a deixava entre o enjoo e a tentação. O burburinho fazia crescer a sensação de que todos olhavam para ela. O encontro mal tinha começado e já estava dando errado. Tudo o que Victoria queria era estar deitada no sofá, com Abu nos braços, vendo um desenho animado na televisão. Quando Georges foi ao banheiro, ela cogitou levantar e ir embora sem dizer nada.

O garçom trouxe as latinhas de refrigerante e dois copos com gelo e limão. Georges se serviu enquanto continuava com sua ladainha. Dava para ver que ele não era muito habilidoso em primeiros encontros — não que Victoria entendesse do assunto, mas reconhecia os sinais. Ela acabou concluindo que havia aceitado o convite por uma espécie de vingança mesquinha pelo que Arroz havia feito. Sentiu-se ainda pior.

"Ei, você está me escutando?", ele perguntou, com o copo cheio estendido.

Victoria ergueu o copo também, no automático.

"A que vamos brindar?", Georges quis saber.

Ela pensou por um instante:

"Ao David Bowie."

"Quê?"

"Você não gosta de Bowie?", Victoria perguntou.

"Gosto, mas... Por que ele?"

"Porque também gosto. É algo de que nós dois gostamos."

Ela bebeu o copo todo e se serviu novamente, esvaziando a latinha. Coca-cola a ajudava a ficar desperta. Não queria parecer alheia à conversa com Georges, ou desinteressada.

"Continua falando de você", Victoria pediu.

"Onde eu parei?", ele perguntou, mas logo lembrou. "Em Londres... Eu tinha vinte e nove anos. O tal retorno de Saturno... dizem que a gente muda muito nessa fase. Fui pra Londres na cara e na coragem. Era peixe com batata frita todo dia, morava numa república zoada, longe pra cacete, um inferno, mas também um paraíso. Minha ideia era melhorar o inglês, viver de escrever peças de teatro e contos pra revistas. Acabei conseguindo um trabalho numa livraria local, juntei alguma grana, mas no fim das contas nada deu certo. E o frio não era pra mim."

Victoria percebeu que havia algo ali.

"Nada deu certo?"

"Acabei conhecendo uma inglesa..." Ele começou a bater o pé direito num movimento sutil, mas revelador. "Alison. Ela era artista plástica, linda, animada. A gente se apaixonou. Ou pelo menos eu me apaixonei. Morei com ela por um tempo. Me concentrei mais no trabalho, até comecei a escrever um livro."

Victoria também tinha vontade de escrever um livro. Já havia rascunhado alguns inícios, mas sempre se perdia no enredo ou se frustrava com as personagens muito parecidas com ela. Depois de algum tempo, jogava tudo fora.

"Aí ela me trocou por um iraniano que conheceu numa exposição pouco antes de a gente completar quatro anos", ele continuou.

"E você voltou pro Brasil."

"É." Ele terminou a coca-cola e fez sinal ao garçom pedindo outra.

O assunto ainda o machucava, era evidente. Em certo sentido, Georges era a exata imagem do escritor conturbado: cabelos meio desgrenhados, óculos de armação grossa, barba por fazer e camisa com a manga dobrada até a altura do cotovelo. Ao mesmo tempo, havia algo novo nele, uma entrega infantil que não era comum em artistas ou intelectuais, em geral tão blasés e inacessíveis. Georges não tinha problema em responder a nenhuma pergunta, contava tudo em detalhes, como se já fossem íntimos e não precisassem guardar segredos.

"Às vezes, faço uns frilas de tradução de manuais", ele disse. "Entendo tudo de instalação de válvulas de banheiro, se você precisar. Mas resolvi tirar dois anos sabáticos pra terminar de escrever meu romance com a grana que economizei. O tempo e o dinheiro já estão quase acabando, e ainda falta muito pra terminar o livro. Sei lá o que vai ser. Mas tenho que arriscar. É tudo ou nada."

Ela gostava do ritmo da fala dele, acelerado, cheio de informações, como se temesse deixar algum detalhe de fora. Quando havia uma pausa no jorro de palavras, não soava como defesa, mas como autocomiseração. Eram detalhes, coisas que em geral a irritariam, mas que em Georges soavam autênticas. Ele era fácil de ler: um sujeito normal, com problemas de gente normal, que enxergava sua própria vida como uma tragédia grega, ainda que não fizesse a menor ideia do que era ser um fodido de verdade.

O desejo de sumir dali diminuiu. Victoria se sentiu tão relaxada que abriu a boca num bocejo.

"Eu sei", Georges disse, com um sorriso. "Minha vida dá sono."

Ele era bom em piadinhas autodepreciativas. Victoria pensou que talvez fosse depressivo.

"Desculpa, não é nada disso. É que eu estou exausta." Ela franziu os olhos numa expressão cansada. "Como você foi parar no café em que eu trabalho?"

"Eu tinha que te conhecer, ué. Estava escrito."

"Não, sério..."

"É legal trabalhar num lugar com vitrine. Ver as pessoas passando na rua, imaginar de onde elas vêm, para onde vão."

Victoria quis falar da brincadeira que fazia com Arroz, mas preferiu não misturar os dois universos.

"E é importante ter um motivo para me vestir", ele continuou. "Moro sozinho. Dá preguiça de tirar o pijama em casa, e o trabalho não rende. Escolhi o Café Moura por acaso. E você trabalhar lá tornou tudo melhor e mais bonito."

"E por que sempre paga em dinheiro?"

A pergunta o pegou de surpresa.

"Você é observadora, hein? Não confio em cartão de crédito. A gente gasta sem perceber. É mais ou menos o motivo pelo qual não entro mais nas redes sociais. Tempo é dinheiro."

O sorriso dele era honesto. Ela sabia reconhecer um quando via. Georges não era exatamente um homem bonito, mas sua pele morena combinava com a densa cabeleira preta, e o modo como apertava os olhos ao falar era simpático.

"Também não tenho perfil em redes sociais. Nunca tive", Victoria disse. *Mas meus motivos são outros*, pensou em seguida.

"Então você também é meio esquisita..." Ele riu e enfiou a mão no bolso, de onde tirou um celular velho da Nokia. "Esse tijolo só serve pra ligar e mandar mensagem. Quando veem isso, as pessoas me encaram como se eu fosse de outro planeta."

"Qual é a história do livro que você está escrevendo?", ela perguntou.

"Preciso responder essa? Pode me levar algemado, se quiser."

"Não precisa", ela disse, e o silêncio que se estendeu a fez compreender que a hora de ir embora estava chegando. A cólica voltava com toda a força. "Acho que preciso ir."

"Mas já?" Georges simulou folhear papéis imaginários em suas mãos. "Nem comecei meu interrogatório, mocinha."

"Sem interrogatório hoje... *mocinho*."

"Mas qual é a pressa? Seus pais ficam bravos se você chega tarde em casa?"

"Não tenho pais." Victoria fechou as mãos com força. Ergueu a cabeça e fixou os olhos em Georges. Queria ver sua reação. "Eles morreram faz tempo."

"Nossa, sério? Eu... sinto muito."

Georges desviou os olhos para os sachês de açúcar sobre a mesa.

"Na verdade..." Victoria tinha sentido um prazer inconfessável ao jogar problemas reais em cima de Georges. O que era a história dele comparada ao que tinha acontecido com ela? Então prosseguiu: "Meus pais eram donos de uma escola de bairro na Ilha do Governador. Um dia, um garoto entrou em casa e matou os dois com um facão. Além do meu irmão. Depois pichou a cara de todo mundo com tinta preta".

"Pichou?"

"É. Pichou."

Georges colocou as mãos sobre a mesa, agarrando o tampo como quem segura a trava de segurança em um carrinho de montanha-russa.

"Só eu sobrei", Victoria concluiu.

"O garoto foi preso?"

"Na mesma noite. Chamava Santiago. Estudava na escola dos meus pais. Tinha dezessete anos e fazia parte de uma turminha meio delinquente. Ficou conhecido na imprensa como o Pichador."

"Quantos anos você tinha?"

"Quatro. Não lembro muita coisa."

"Que história...", Georges disse, um pouco constrangido.

"Sou a órfã da família Bravo. Você deve ter ouvido falar..."

"É um caso famoso? Tipo o da família Von Richthofen?"

"É mais antigo. De 98. Mas a imprensa também fez a festa. O diretor, a professora de matemática e o filho deles, todos assassinados em casa por um aluno."

"Desculpa, eu... Eu não sabia."

Parece que nem todo mundo lida bem com esses assuntos, dr. Max, ela pensou. Georges a estudava como se dissecasse um animal na aula de anatomia. Mesmo que tentasse disfarçar, dava para ver que estava perturbado.

"Por que o garoto fez isso?", ele perguntou. "Quero dizer... entrar na sua casa e..."

Victoria deu de ombros.

"Eu era pequena. Me mantiveram longe da confusão toda."

"Você nunca foi atrás?"

"Pra quê? Já aconteceu."

Durante a infância e a adolescência, ela havia conversado exaustivamente com o dr. João Carlos sobre o assunto. Não tinha dúvidas de que o melhor era seguir em frente. Àquela altura, contar sua história em voz alta era como revelar o passado de um desconhecido ou comentar uma desgraça vista na televisão. Victoria não se sentia mais conectada.

"Onde você estava quando aconteceu?"

"Em casa."

"A casa que o assassino invadiu?"

"É."

"Então você viu tudo?"

"Santiago matar minha família e pichar o rosto deles de preto? É... vi."

Victoria suspirou e abriu um sorriso curto — aquele atrás do qual o dr. Max dizia que ela se escondia do mundo. Era inevitável. Quando percebia, já estava arreganhando a boca, com as bochechas doloridas e as narinas comprimidas. Sabia qual era a dúvida que passava pela cabeça de Georges naquele momento. Era como se estivesse escrita em letras garrafais em sua testa. Victoria se fazia a mesma pergunta havia vinte anos: por quê? Por que o assassino não foi até o fim? Por que matou toda minha família e me deixou viva?

Georges encontrou uma abordagem menos direta.

"Ele não te machucou?"

"Não aconteceu nada comigo", Victoria mentiu. Havia limites que não queria ultrapassar. Mastigou o gelo que restava no copo, percebendo um leve resquício da rodela de limão. "Vamos pedir a conta?"

"Claro, claro..."

Os dois ficaram em silêncio até que o garçom levasse a nota.

"Bom, minha vida pelo menos não dá sono!", ela brincou ao se despedir.

"Adorei te conhecer melhor, Victoria", Georges disse. "E... sinto muito mesmo."

Ele tocou o braço dela de leve, mas Victoria não se esquivou. Ficaram em contato por alguns segundos, antes que Georges se afastasse na direção do metrô. Ela o observou descendo as escadas da estação sem olhar para trás. Tinha certeza de que ele desapareceria de sua vida para sempre; desistiria do Café Moura e escolheria outro lugar onde trabalhar em seu romance. Dali a alguns meses, contaria aos amigos entre risadas sobre a maluca que tinha conhecido e de quem havia escapado por pouco.

Apesar de tudo, ela estava alegre. Gostava da visão da Cinelândia à noite, com o Teatro Municipal iluminado, pombos alçando voos e músicos pedindo trocados. Colocou os fones de ouvido. A rua não estava tão cheia àquela hora e os ambulantes já tinham ido embora, de modo que fez a maior parte do trajeto pela calçada, evitando as esquinas escuras e atenta aos pivetes, cada vez mais frequentes naquela região.

A noite havia sido melhor do que imaginara. Georges era agradável, ainda que guardasse certo ressentimento em relação ao mundo. Durante a conversa, não tinha sido agressivo como Arroz: não perguntara por que ela não ia beber, não enveredara por perguntas inconvenientes nem fizera questão de levá-la em casa num cavalheirismo despropositado. Talvez por isso ela tivesse se sentido tão à vontade para contar tudo a ele. Só agora se dava conta de que tinha revelado àquele desconhecido um passado que jamais mencionara a Arroz em anos de amizade.

Ao chegar em casa, foi direto para o quarto, sentou-se na cama e desceu a calça enquanto cantarolava "Killer Queen". Estava cansada demais para tomar banho e decidiu deixar para o dia seguinte. Àquela hora, Georges devia estar vendo tudo o que havia sobre a vida dela no Google: fotos do local do crime, vídeos com depoimentos de vizinhos, reportagens especiais. Ela não se importava. Tinha sido bom falar livremente sobre o assunto.

E não era como se tivesse despejado tudo nele. Havia coisas que guardava só para si, coisas que ninguém sabia, nem o dr. Max. Os jornais não haviam noticiado na época e ela praticara bastante ao longo dos anos para que ninguém percebesse. Já na cama, Victoria retirou a prótese da perna esquerda, encaixada pouco abaixo do joelho, recostou-a no canto ao lado da cabeceira e se deitou para dormir, pensando em Georges e nas sutilezas que a tinham feito gostar tanto dele.

4.

Uma colher. Outra colher. E mais outra. Victoria observava tia Emília comer. Recostada à cama, a velhinha espremia os lábios murchos e saboreava o iogurte contra o céu da boca antes de engolir. Então levantava os olhos para a sobrinha-neta com um sorriso cúmplice, como se estivessem cometendo um crime federal. Vez ou outra, um filete escorria pelo queixo e caía sobre a camisola puída, mas ela não se abalava.

"Tem mais?", perguntou ao terminar.

Victoria fez que sim. Retirou outro pote da mochila e levantou o lacre com a unha roída.

"Você é tão boa pra mim, minha filha", tia Emília comemorou.

Levou as mãos aos cabelos ralos, arrumando-os por hábito, então pegou o pote e voltou a comer em silêncio, lambendo a colher. Vê-la serena daquele jeito, extraindo tamanho prazer de um iogurte de morango comprado no mercado da esquina, animava Victoria. Depois de tudo, visitá-la às quartas-feiras — seu dia de folga no café — era o mínimo que podia fazer.

Na noite em que o Pichador invadira sua casa, ela ligou para a tia-avó pedindo socorro. Tia Emília chegou em poucos minutos (morava a apenas três quadras) e encontrou a sobrinha-neta desmaiada e coberta de sangue no sofá. Diante do caos, mostrou-se forte. Protegeu Victoria quando jornalistas ofereceram um bom dinheiro para estampar entrevistas e fotos da criança assustada na primeira página. Nunca aceitou nenhum tostão dos abutres. Ela acompanhou Victoria nos meses de hospital, levou-a para casa e cuidou dela, tendo ainda que lidar com uma crise financeira que culminou alguns meses depois na venda da escola. O lugar virou uma filial da Blockbuster e, mais tarde, uma Igreja Universal. A casa onde tudo acontecera ficou anos à venda, até que alguém da vizinhança a arrematasse por um valor pouco acima do risível.

O acidente — banal, na sala de casa — aconteceu em 2014. Tia Emília regava as plantas da janela, desatenta, quando tropeçou no tapete. Fraturou a bacia e o fêmur na queda. Victoria encontrou a tia-avó ainda desmaiada ao chegar do trabalho e chamou depressa uma ambulância. Após uma cirurgia delicada, o médico informou que tia Emília teria que andar de muletas por algum tempo. Caso melhorasse, passaria a usar bengala em alguns meses. Mas nada mais seria igual. Ela esteve bem perto de perder a tia-avó. Deparou com a horrível sensação de estar sozinha no mundo.

Victoria antecipou as férias no trabalho para ficar em casa cuidando da tia-avó. Logo ficou claro para as duas que tinham um problema. Victoria precisava voltar, ou perderia o emprego. Foi tia Emília quem sugeriu a mudança para uma casa de repouso. A ideia pareceu absurda a Victoria. A inversão de papéis era natural: tia Emília havia cuidado dela a vida inteira, agora ela tinha que retribuir.

Quando a tia-avó insistiu e se internou por conta própria

numa casa de repouso no Flamengo, Victoria reagiu mal. Sentindo-se abandonada, deixou de ir ao psiquiatra. Sem o acompanhamento do dr. João Carlos e da tia-avó, começou a beber cada vez mais, no trabalho e noite adentro, nos depósitos da Lapa. Perdeu o emprego e continuou a beber. Até que acordou deitada na calçada sob o sol inclemente do meio-dia, com a pele queimada e os ossos doendo. As pessoas que passavam achavam que era uma moradora de rua. Foi levada direto ao hospital, com insolação e desidratada. Uma vez liberada, já estava bebendo de novo.

Tanto tempo depois, Victoria ainda sentia que era injusto tia Emília morar naquele lugar sufocante, com corredores estreitos, cheiro forte de água de colônia, programas de auditório passando o dia todo na televisão pequena e sopa sem gosto para o jantar. Os idosos senis gemendo dos quartos ou gritando palavras delirantes a incomodavam terrivelmente. Mas a vida não tinha nada a ver com justiça, e ela aprendera aquilo bem cedo.

Enquanto a tia-avó terminava de comer, Victoria se levantou da cadeira e se aninhou a ela na cama, segurando seu corpo magro como se fosse um travesseiro. Aquele momento de intimidade entre as duas lhe fazia muito bem. Era a maior proximidade que conseguia ter com outra pessoa. Gostava da textura das mãos da tia-avó, da pele fina, quase transparente, com veias roxas saltadas. Tia Emília tinha as costas repletas de manchas da velhice e usava um aparelho de surdez, que buscava esconder com os finos cabelos prateados.

"Você está diferente", a senhora disse, encarando-a com um sorriso.

"Eu? Não..."

Victoria desviou o olhar. Enfiou o rosto no colo dela, sentindo seu perfume pós-banho.

"Conheceu alguém?", tia Emília quis saber. Continuava perspicaz e direta.

"É, acho que tenho um novo amigo."

"Ele é bonito?"

"É só um escritor que passa a tarde trabalhando lá no café."

"Ele te chamou pra sair?"

"A gente tomou uma coca juntos."

"Pelo visto, você gostou dele."

"Você disse a mesma coisa quando conheci o Arroz."

Tia Emília arqueou as sobrancelhas, vitoriosa.

"Dessa vez é diferente. Você não ficou vermelha quando falei do Arroz."

Victoria não sabia o que dizer. Era como se a tia-avó pudesse ler seus pensamentos.

"Impressionante como você é igual ao seu pai", tia Emília continuou. "O Mauro também era assim. Quieto, misterioso. A gente perguntava e ele não respondia."

A verdade era que Victoria se lembrava muito pouco dos pais ou do irmão. Era muito nova quanto tudo acontecera. Segundo o dr. Max, era normal que sua mente tivesse criado bloqueios para protegê-la. Ao longo dos anos, Victoria vinha recolhendo migalhas de sua genética nas conversas com tia Emília: cruzava os braços como o irmão, tinha o jeito e o olhar do pai, o sorriso e a voz da mãe. Ela reconstruía sua família como quem lia um livro de ficção e imaginava os personagens. Sabia que seu irmão era aficionado por *Star Wars* e colecionava camisas de times de futebol; sabia que seu pai era tímido, discreto e que nunca havia namorado antes de conhecer a futura esposa; sabia que sua mãe era uma mulher alegre e expansiva, que cobrava bastante dos alunos nas provas de álgebra. Histórias e mais histórias.

Diante da cama, na estante de madeira de tia Emília, ao lado de alguns santinhos, uma Bíblia e porta-retratos com imagens das duas juntas ao longo dos anos, havia uma foto de toda a família reunida na frente de um relógio de flores. Tinha sido tirada em uma praça de Poços de Caldas, numa viagem no feriado da Páscoa. Eric, com nove anos, era o único de cara fechada. Estava chateado porque os pais tinham se recusado a comprar alguma coisa que ele queria. Victoria era uma criança pequena e feliz, agarrada às pernas de Mauro, com Sandra ao lado, linda como sempre, com cabelos longos, um sorriso no rosto e a postura altiva de professora. Victoria percebia certa semelhança física entre ela e a mãe: os mesmos olhos claros, a mesma boca fina, o mesmo nariz pequeno. Mas se sentia uma versão malfeita de Sandra.

"Não estou interessada em ninguém", Victoria disse, encerrando o assunto.

"Não vejo nada de mais", tia Emília insistiu. "Rezo todo dia para você conhecer um homem de bem."

Católica fervorosa, tia Emília passava o dia rezando, lendo a Bíblia ou assistindo a missas na TV. Victoria balançou a cabeça e sorriu. Tinha, sim, gostado de conhecer o escritor. E era verdade que, em alguns momentos, havia se flagrado fantasiando a seu respeito. Mas Georges não aparecera no café no dia anterior, terça-feira. Talvez ele nunca mais aparecesse. Afinal, quem gostaria de conviver com uma pessoa tão fodida quanto ela? Melhor continuar sozinha. Era mais seguro.

Saiu da casa de repouso pouco antes do meio-dia. Tinha planejado terminar de ler *Coraline*, do Neil Gaiman, e fazer uma maratona de cinema à tarde. Era o dia mais barato da semana, e ela ainda pagava meia-entrada com uma carteirinha falsificada por Arroz. O que gastava nos ingressos economizava no ar-condicionado de casa. Estava entrando na estação de metrô quando o celular vibrou no bolso. Tinha certeza de que era Arroz — ele havia telefonado várias vezes nos dias anteriores —, mas para sua surpresa era seu Belino, dono do Café Moura. Era raríssimo que a procurasse, principalmente em dia de folga. Victoria atendeu na mesma hora.

Com seu sotaque português, seu Beli explicou que Ellen, a outra garçonete, tivera problemas familiares e precisara faltar. O salão estava enchendo e ficaria ainda pior na hora do almoço. Ele e Margot não dariam conta. Precisava que ela fosse correndo cobrir a colega. A contragosto, Victoria aceitou. Não podia deixar seu Beli na mão. Ele era um sujeito atarracado, com expressão severa e ataques de grosseria, mas ela o conhecia havia anos como um grande amigo de tia Emília — e talvez tivesse sido um pouco mais do que aquilo no passado. Por debaixo da carapaça mal-humorada, Victoria conseguia perceber a ternura do velho. Além de tudo, seu Beli havia lhe oferecido aquele emprego quando ela era um fiapo de gente, com olheiras e dor de cabeça constante por causa da bebida. Ela tinha uma dívida com ele.

Victoria pegou o metrô cheio sentido Zona Norte. Toda aquela gente, todos aqueles barulhos, cheiros e suores a remetiam à imagem do inferno. Tomou a rua da Assembleia, caminhando depressa pelo meio-fio para evitar a calçada lotada. Ao erguer a cabeça, viu o letreiro grande e vertical do Café Moura. Logo que entrou foi abordada por seu Beli, com a testa suada e duas pizzas se formando na camisa. Ele lhe estendeu o avental.

"Foi na casa de repouso?"

Victoria fez que sim com a cabeça.

"Como ela estava hoje?"

"Falante, como sempre."

Victoria sabia que seu Beli visitava a tia-avó com frequência, mas eles nunca conversavam muito a respeito. Ela notou que o salão já estava lotado: um zum-zum-zum baixinho de conversa e o som da louça batendo preenchia os dois andares. O cheiro de grãos torrados de café dominava tudo. No caminho para o caixa, Victoria evitou olhar para a mesa onde Georges costumava se sentar. Sabia que não ia encontrá-lo ali, mas só de pensar nisso já estava olhando. E, para seu espanto, lá estava ele.

O escritor tirou os headphones, apoiou sobre o teclado do laptop e acenou para ela. Victoria sentiu um arrepio descer pela espinha e virou o rosto depressa, fingindo que não tinha visto. Tinha sido idiotice aceitar o convite de um cliente para sair. Não poderia se livrar dele nem se quisesse. Estava terrivelmente arrependida. Perguntou a Margot, no balcão, se precisava de alguma coisa, então colocou dois mistos na chapa.

"Mesa doze", Margot disse, pondo uma xícara de cappuccino na bandeja.

Merda. É a mesa do Georges. Victoria ficou paralisada, pensando no que fazer.

"Você leva, gata?", Margot insistiu.

Ela não tinha como negar. Suspirou, ajeitou o lacinho nos cabelos, torcendo para que não estivesse muito torto, e pegou a bandeja. Seguiu até a mesa, mantendo os olhos baixos e tentando controlar o tremor nos braços. Desejou que houvesse um espelho na parede.

Victoria deixou a xícara ao lado do laptop, evitando contato visual.

"Que bom te ver aqui hoje", ele disse.

"Quer adoçante, senhor?"

Georges suspirou.

"O que foi? Aconteceu alguma coisa?"

"Adoçante?", ela insistiu.

"Fiz algo de errado? Fala comigo."

"Não posso. Estou ocupada."

Georges se recostou na cadeira.

"Tive um imprevisto ontem... Queria ter vindo, mas..."

"Não é nada disso", ela mentiu.

"Rolou um trabalho em São Paulo. Devo viajar semana que

vem. Mas minha sexta está livre. E queria muito te ver de novo. Nem precisamos fazer nada. Podemos só ficar olhando as pessoas na rua, ir a uma livraria ou…"

"Não."

"Você não pode sexta?"

Ela queria dizer que sim, claro que podia, mas estava chateada que ele não tivesse aparecido no dia anterior. Georges aproveitou o momento de dúvida para lhe estender um guardanapo com o número de telefone dele. Victoria olhou ao redor e pegou o guardanapo depressa, antes que alguém notasse o que estava acontecendo, e o amassou. Então se afastou da mesa, torcendo para que o escritor não pedisse mais nada. Trabalhou a tarde toda sem olhar para a mesa dele. Georges digitava sem parar, como que para provocá-la. Victoria podia escutar o tec-tec-tec incessante do teclado. Como ele conseguia se manter tão concentrado? No fim do dia, pediu a conta e Victoria a levou.

"Sexta então?", ele disse, deixando quatro notas sobre a mesa.

"Nove, oito-oito-nove-três, um-quatro-três-meia. Me liga", ela disse, e se afastou.

No balcão, Victoria contou até trinta para acalmar o coração, que batia forte. Quando olhou por cima do ombro, Georges já tinha ido embora. Onde ela estava com a cabeça para passar seu telefone? Ele poderia ter decorado tão rápido? Ou tinha sido pego de surpresa? Ela preferia não saber. No fundo, o dr. Max tinha razão. Quanto menos controladora fosse, mais liberdade teria. E aquilo era bom. A antiga Victoria jamais teria ditado seu telefone.

Pessoas normais saíam com outras às sextas à noite. Além do mais, Georges podia, sim, ser seu amigo. Era irônico e deliciosamente banal. Ela não precisava ficar vendo problemas em tudo. O psiquiatra e tia Emília ficariam orgulhosos. De repente, Victoria se sentiu cheia de compaixão pelo mundo. Estava até disposta a perdoar Arroz — ele era mais um cara que tinha sido criado para acreditar que não havia problema em beijar uma mulher à força. Devia ter aprendido a lição. Talvez fosse hora de responder a suas mensagens.

O céu alaranjado engolia os prédios comerciais do centro do Rio. Victoria resolveu se sentar na rua do Lavradio para assistir ao sol desaparecer atrás da catedral em formato cônico. Eram quase oito quando chegou ao prédio. Nem os bares da esquina, lotados de gente bebendo após o expediente, foram capazes de incomodá-la. Na portaria, cruzou com Jackson, o vizinho que era garoto de programa e cujo ponto ficava na Cinelândia, em um banco próximo ao Starbucks. A julgar pela quantidade de perfume que usava, estava saindo para trabalhar.

Victoria subiu devagar os lances de escada, apoiada no corrimão, revisitando distraída os detalhes do instante em que ditara seu telefone para Georges: a conversa baixa no café, os olhos arregalados dele, o croissant pela metade sobre a mesa. Tomou o corredor, enquanto buscava as chaves no compartimento lateral da mochila. A poucos metros, parou: a porta estava arrombada, com a maçaneta caída sobre o capacho. Seu primeiro pensamento foi: *Merda, algum pivete invadiu*. A violência era cada vez mais ostensiva naquela região.

Empurrou a porta com cuidado, sem fazer barulho. A sala parecia perfeitamente arrumada. Passou os olhos por ela. As cadeiras no lugar, as pelúcias organizadas na estante, ao lado dos livros de aventura e ficção científica. O laptop, a coisa mais valiosa que ela tinha, continuava sobre o sofá. Victoria tampouco sentiu falta de algo na cozinha. Pegou a faca mais afiada no gaveteiro e foi para a porta de correr que levava ao único quarto. Estava fechada, como a havia deixado. Avançou pé ante pé. Deslizou a porta sobre os trilhos, pronta para qualquer surpresa. Se gritasse, os vizinhos escutariam. Mas ela não gritou. Na parede acima da cama, havia um recado em letras garrafais, pichado em tinta preta:

VAMOS BRINCAR?

Victoria sentiu o corpo ceder e foi ao chão, vomitando sobre a roupa. O líquido quente e malcheiroso escorrendo pela blusa a manteve consciente. Ele ainda estava no quarto? Caída torta, ela girou a cintura para ajeitar a perna mecânica e ficar de cócoras. Deixou a faca de lado e apoiou as mãos no chão para se levantar. A cabeça girava; os cabelos grudavam na boca e nas bochechas suadas. Tentou levantar, mas seus cotovelos fraquejaram e ela desabou outra vez. Os seios e a barriga sentiram o impacto. Victoria rastejou até a cama como quem luta contra o afogamento e se apoiou no colchão, agarrando o lençol. Levantou alguns centímetros, sustentada na perna mecânica.

Com a visão turva, varreu o quarto, mas não parecia haver ninguém escondido ali. Talvez dentro do armário. Reparou em um objeto preto sobre a cama, a poucos centímetros dela, entre os travesseiros. Parecia um pedaço grande de carvão. Fixou os olhos nele e compreendeu: era Abu. Coberto de tinta preta. Ela se esticou até o ursinho de pelúcia e o abraçou contra o peito, enquanto a tinta manchava seus braços trêmulos, ainda fresca.

Victoria não reagiu como eu pensava. Movidas algumas peças, esperei que ela perdesse o controle, se sentisse indefesa e me procurasse na mesma hora. Não foi o que ela fez. Por um lado, estou decepcionado. Por outro, orgulhoso. Gosto de desafios, gosto que ela quebre minhas expectativas. Torna tudo mais excitante.

Finalmente, as engrenagens estão girando. Não posso ter pressa. Esperei vinte anos, preparei tudo. Não vou meter os pés pelas mãos. Pego o telefone e ligo para o celular dela. Não espero que atenda. Mas é importante que saiba que estou por perto, que me importo com ela e que pode contar comigo.

Faz parte do plano.

5.

O único feixe de luz vinha do poste na esquina e entrava pela janela da sala, tipo guilhotina e fechada com dois trincos. Encolhida no sofá, Victoria encarava os mecanismos que mandara instalar na porta durante a tarde. Tivera que raspar a conta-corrente para pagar o serviço completo: cinco trancas de três marcas diferentes. Além da fechadura com espessura tripla e de uma corrente niquelada para limitar a abertura, duas tetras longas — uma na altura dos olhos e outra próximo aos pés — e duas travas de segurança. Sob o capacho, uma camada dupla de plástico-bolha logo denunciaria a chegada de alguém.

Sentia-se um pouco mais segura agora. Queria ter comprado uma porta com chapas de aço, mas custava uma fortuna. Havia passado a madrugada e a manhã de quinta-feira lixando a parede do quarto e lavando Abu no tanque. Tinha esfregado tanto que a pelúcia se rompera debaixo de um dos braços e as bolinhas de isopor que a recheavam haviam caído. Ela tivera que recolher uma a uma e costurar Abu de novo. Também comprara uma lata de tinta branca e repintara a parede. Na sexta, o cheiro ainda era forte e se espalhava pelo apartamento inteiro. Victoria olhou para o relógio da cozinha, com a sensação de que algo estava prestes a acontecer. Eram nove da noite.

O barulho lá fora aumentava a cada minuto. As noites na Lapa eram sempre cheias, misturando gente de todas as tribos nos bares, nas barraquinhas de sanduíche e de caipirinha espalhadas pela rua, nas casas de samba, reggae ou forró, nos karaokês e sinucas. Daquele ângulo, ela conseguia vigiar a porta e a janela ao mesmo tempo. Não dormia havia quase quarenta e oito horas. Seus olhos estavam pesados, e a cabeça parecia em ponto morto. Cochilava vez ou outra no sofá, abraçada a Abu, que tinha um tom de cinza esmaecido depois da lavagem. Despertava suando frio, tomada por pesadelos vívidos, como um machado estraçalhando a porta de madeira, tal qual no filme *O iluminado*.

Suas costas doíam. A vontade de engolir uma garrafa inteira de vodca era imensa. Ajudaria a anestesiar. Sua sorte era que nenhum álcool entrava no apartamento desde que tinha parado de beber. Já comera os restos de fruta, pão e iogurte da geladeira. No dia anterior, havia fritado os últimos filés de frango. Teria que ir ao mercado no fim de semana e precisaria se controlar para não acabar levando nenhuma garrafa para casa. Próximo à mesa de centro, ao alcance das mãos, estava a faca de cozinha e o canivete suíço. O celular também estava ali, com cem por cento de bateria, caso precisasse pedir ajuda.

Seu Beli havia telefonado muitas vezes durante a tarde anterior. Devia estar preocupado porque ela não tinha aparecido no trabalho nem dado satisfação. O dr. Max também ligara e enviara mensagens porque Victoria faltara às sessões de quinta e sexta. Arroz continuava telefonando sem parar e tinha enviado longas mensagens de áudio que ela não se dera ao trabalho de escutar. Um número desconhecido vinha ligando desde a tarde de quinta. Pela manhã, Victoria se lembrara de compará-lo com o do guardanapo que Georges lhe dera e confirmara que era ele. Devia estar querendo marcar o tal encontro. Diante do que havia acontecido, a ideia de sair com um desconhecido era absurda. Na verdade, encontrar quem quer que fosse parecia arriscado demais.

A vontade de Victoria era cimentar a porta e a janela que dava para a rua e se isolar do mundo. Mas não podia fazer aquilo. A janela era uma rota de fuga estratégica caso o invasor voltasse. Se aquele fosse um prédio decente, de gente rica da Zona Sul, haveria câmeras na portaria e nas escadas, e Victoria poderia descobrir quem tinha entrado e pichado a parede. Pensou em perguntar aos vizinhos se tinham visto alguém estranho, mas seria perda de tempo. Gente de todo tipo entrava e saía sem parar daquele prédio. Jackson, por exemplo, vivia levando clientes para o apartamento. Ela escutava os gemidos através das paredes, até que se enchia e colocava os fones de ouvido com a música no volume máximo.

Agora, Victoria não podia se dar ao luxo de se distrair com música. Seu corpo voltava a pesar, implorando por bebida ou descanso, escorregando pelo sofá, sugado por um vazio reconfortante. Ela pingava de suor. Àquela hora, a rua estava abarrotada: era a oportunidade perfeita para o invasor arriscar uma nova aproximação, de modo que Victoria tinha que se manter acordada. Levantou e lavou o rosto na pia para se refrescar um pouco. Tirou a calça e a deixou na banqueta da cozinha, ficando apenas de calcinha e camiseta. Bebeu um copo d'água e comeu a última banana da fruteira, enquanto tentava desvendar os barulhos longínquos: a TV ligada no quinto andar, a porta batendo no terceiro, o chiado do rádio no térreo, risadas estridentes na esquina, passos pesados escada acima ou abaixo.

Tudo seria mais fácil se ela colocasse uma câmera no corredor, acima da porta, ou na entrada do prédio. Talvez devesse ligar para Arroz e pedir ajuda para instalar um sistema de vigilância no apartamento — ele saberia como fazer. Também poderia pedir o telescópio dele emprestado, para colocar na janela. Ela havia pesquisado preços de armas de fogo na internet. Além de caras, eram difíceis de comprar. Arroz devia saber uma maneira mais simples de arranjar uma.

Victoria voltou a se recostar no sofá, sentindo um incômodo no tornozelo esquerdo. Retirou a perna mecânica e tentou se concentrar. Durante os primeiros anos após a cirurgia que removera a perna gangrenada em consequência das facadas, sentira pontadas dolorosas, como se o membro ainda estivesse ali. O cérebro queria continuar no comando, não conseguia registrar aquela perda, de modo que o corpo reclamava dos dedos espremidos como se dentro de uma sapatilha de balé, das unhas crescendo até se contorcerem de tal modo que arranhavam o chão e penetravam a carne do pé. Era imaginação, mas ela *sentia*.

O dr. João Carlos tentara diversos métodos, até que finalmente Victoria aprendera a fechar os olhos, se concentrar e espelhar a perna direita, a de verdade, na perna esquerda, inexistente. Assim, seu cérebro tinha a impressão de cortar as unhas ou coçar o joelho da perna esquerda sempre que ela realizava tais ações na perna direita. Com o tempo, passou a ser algo automático, como escovar os dentes pela manhã ou colocar o lacinho antes de sair. Mas, naquele instante, enquanto a comichão no membro invisível crescia sem parar, ela fechava os olhos e não conseguia mentalizar nada. Tudo atrapalhava: o calor, a roda de samba no bar vizinho, a semiescuridão da sala, os calafrios.

Victoria abriu os olhos. De um lado, uma perna fina, branca, havia meses sem depilar. De outro, um cotoco que se esgotava pouco depois do joelho. Como era possível que ela conseguisse ver, mas seu cérebro não fosse capaz de processar aquela ausência? A mente humana era infernal. Aliás, todo o corpo humano era. Doenças, bactérias, fungos, câncer. Pelo menos a menstruação tinha acabado no dia anterior.

Um barulho a deixou alerta. Alguém tinha subido a escada e estancara no final do corredor. Se fosse Jackson voltando para casa, estaria acompanhado de um cliente. E ainda não era nem meia-noite. Ela aguçou os ouvidos: os passos eram de uma única pessoa. Botou depressa a perna mecânica. Aquele modelo era o mais moderno que havia, com movimentos amplos, vácuos aerodinâmicos e fácil encaixe. A estrutura de ferro tinha peso semelhante ao de uma perna verdadeira, de modo que Victoria não sentia tanta diferença na hora de caminhar. Ao longo dos anos, fora trocando de perna conforme crescia, como quem trocava as lentes dos óculos de grau. Quando chegara a hora de comprar a definitiva, escolhera o que havia de melhor.

Em silêncio, foi até a banqueta onde estava sua calça. O tornozelo da perna invisível queimava. Ela apertou a coxa esquerda com as duas mãos, tentando fazer parar, mas não adiantou. Sufocou a dor mordendo a barra da camiseta. Não queria emitir nenhum ruído. Encostada à bancada, vestiu a calça e voltou sua atenção para o corredor. Nenhum barulho de trinco na porta do vizinho, nenhum movimento nas escadas. Apenas silêncio. Então o estourar do plástico sob o tapete. Havia alguém do outro lado da porta.

Ela empunhou a faca e se aproximou, mancando. Era como se formiguinhas venenosas passeassem por seu tornozelo, devorando a carne até encontrar o osso. Victoria teve o impulso de perguntar quem estava ali, mas o reprimiu. Seu coração batia num ritmo ensurdecedor. Dizem que o medo tem cheiro e faz barulho. Ela não sabia ao certo. Ficou encostada na parede ao lado das dobradiças, com o ouvido colado ao trinco, esperando qualquer sinal. Nada. Como tinha sido idiota de não instalar um olho mágico! De que adiantavam trincos, correntes e facas se não podia ver quem estava do outro lado? Esperou mais um pouco. Mais bolhas estourando e, então, o som do plástico sendo removido de baixo do capacho. Victoria manteve a faca em posição de ataque e pegou o celular com a outra mão. Para quem ligaria?

Antes de chegar a uma resposta, ouviu passos no corredor. O invasor estava se afastando. Ia embora? Ou tomava impulso para arrombar a porta? Victoria não podia continuar naquela indecisão. Era como uma úlcera crescendo dentro dela. Seria mesmo o Pichador, anos depois? Ou alguém tentando imitá-lo? Ela queria saber. Tentando não fazer barulho, baixou os ferrolhos e abriu os trincos. Girou a maçaneta, arriscando uma fresta que permitisse enxergar o corredor mergulhado no breu. Logo avistou uma sombra parada na beira da escada. Um homem estava de costas, mexendo em algo. Uma arma? Uma ferramenta para arrombar a fechadura?

Sem pensar, ela saiu para o corredor, na direção dele. Foi tudo muito rápido. Já estava bem perto, com o braço erguido, pronta para golpear suas costas, quando o homem se virou, antevendo o ataque. O cérebro dela demorou uma fração de segundo para registrar quem era, de modo que a faca desceu. A lâmina rasgou a mão do dr. Max quando ele tentou segurar o braço de Victoria, que na mesma hora puxou o cabo. Um largo filete de sangue surgiu na carne. Ela encarou o ferimento, sem saber o que dizer. Teve vontade de chorar. Engoliu em seco, muito nervosa, e pediu desculpas.

"Eu estava preocupado", ele disse, pressionando o corte com a outra mão, como se não doesse. "O que aconteceu?"

Ela olhou para a porta entreaberta, temendo que alguém os surpreendesse naquela situação esdrúxula: uma mulher trêmula, uma faca coberta de sangue, um homem ferido. Levou o psiquiatra para dentro do apartamento e passou todos os trincos. Buscou água oxigenada e gaze no banheiro e fez um curativo nele enquanto tentava se justificar. Aquela história estava entalada em sua garganta, mas colocá-la para fora parecia torná-la mais real e perigosa. Victoria parou um instante para beber água como o dr. Max sugeriu e voltou a detalhar a pichação na parede e a instalação das travas na porta. Subitamente, ficou incomodada.

"Como conseguiu meu endereço?"

"Sempre tive seu endereço. Está no seu cadastro no consultório."

Ela não se lembrava de ter preenchido um cadastro, mas estava bastante transtornada na época em que começara o tratamento com o psiquiatra.

"Por que não bateu na porta?"

O dr. Max soltou um suspiro, parecendo desconfortável.

"Estou ultrapassando um limite profissional aqui", ele disse, baixando os olhos para a mão enfaixada. "Não deveria ter vindo à sua casa, mas fiquei preocupado. Você não apareceu no consultório nem ontem nem hoje cedo, e não me atendeu. Passei o dia pensando no que fazer. Então resolvi vir. Minha ideia não era entrar, era só tocar o interfone e... falar com você. Para confirmar que estava tudo bem."

"Aqui não tem interfone."

"É, eu percebi."

"Como entrou no prédio?"

"O portão estava só encostado. Fiz meio sem pensar. Antes de bater na porta, pensei em te ligar de novo. Uma última vez. Aí você me pegou..."

"Me desculpa. Eu não queria te machucar."

"Você tem que chamar a polícia, Vic."

"Nem pensar."

Ele se aproximou da porta, ficando de costas para ela. Passou os olhos pelos trincos e travas. Parecia a entrada de uma cela.

"Eu..." O psiquiatra hesitou. "Eu posso ir com você."

Victoria sabia que aquilo ultrapassava outro limite profissional.

"Posso ver a pichação?", o dr. Max pediu quando ela não respondeu.

"Limpei tudo."

Ele a observou com uma expressão indecifrável. Victoria não gostou da desconfiança em seu semblante. Ainda que delírios não fizessem parte de seu diagnóstico, o psiquiatra a encarava como um louco que dizia ser Napoleão.

"Acredito em você", ele disse. "Mas por que não quer ir à polícia?"

Victoria ficou em silêncio. Após a tragédia, ela tivera infinitas sessões com o dr. João Carlos até se convencer de que a morte de sua família não devia determinar seu futuro. A indignação brutal que sentia precisava terminar. *É um dos muitos capítulos na biografia de Victoria Bravo. Ainda que importante, não precisa ser o último*, o psiquiatra dissera. Não tinha sido fácil, claro. Com o tempo, ela aprendera a redimensionar a dor e a culpa, a acondicionar os traumas e deixar de buscar explicações, a controlar a angústia. Para que aquilo fosse possível, isolara-se de sua história (até tinha parado de pesquisar seu próprio nome na internet). Não podia deixar que tudo voltasse chamando a polícia.

"Não vai me responder?", o dr. Max insistiu.

Victoria suspirou.

"É passado."

"Ignorar o passado foi a maneira que você encontrou para seguir em frente, e funcionou até hoje. Mas, diante do que aconteceu, não dá para continuar assim. Não pode simplesmente suspender sua vida por causa dessa pichação na parede. Esse cara é perigoso. Se estiver de volta, você tem que se proteger."

"Estou me protegendo."

"Com essa faca? Com essas trancas? O que vem depois? Vai comprar uma arma? Nunca mais atender o telefone? Abandonar o tratamento, o emprego e a vida? Você está se sabotando de novo, como fez com a bebida."

"Não é verdade."

"Assumir as rédeas não significa ignorar o que veio antes, apagar o que viveu. Significa ir atrás, entender, enfrentar. Você é capaz disso, Vic."

Ela não se sentia capaz de nada. O incômodo em seu baixo-ventre subiu pela garganta e a fez desabar no choro. Um choro convulsivo, guardado a muito custo. O dr. Max se aproximou para ampará-la. Levou as mãos aos cabelos dela e os acariciou lentamente. Ele era grande e possuía ombros largos, de modo que sua presença tinha a solidez protetora de uma muralha. Mesmo não gostando de ser tocada, Victoria aceitou o abraço.

"Por que eu sobrevivi?", ela perguntou, com o rosto enfiado no peito rígido dele.

O médico não disse nada. Acompanhou-a até o sofá e fez com que se sentasse. Voltou a envolvê-la com os braços. Victoria se deixou aninhar por aquele corpo quente. A barba grisalha roçava de leve sua pele. Ela reparou na corrente de ouro que escorria pelo pescoço moreno do médico. Inspirando fundo, sentiu o perfume que ele usava, forte e masculino. Por um instante, estranhou aquela proximidade e cogitou recuar. Mas o dr. Max não lhe inspirava repulsa, e sim segurança. Ele era seu médico.

Victoria deitou a cabeça nas pernas dele e relaxou um pouco.

"Pode descansar tranquila", o psiquiatra disse, sério. "Vou passar a noite aqui com você."

Esgotada, Victoria continuou de olhos fechados, deixando-se levar pelo cafuné. Quando pequena, ela amava que o pai fizesse aquilo. Muitas coisas passavam por sua cabeça, mas começaram a sossegar pouco a pouco, como luzes se apagando. Antes de mergulhar no sono profundo, um último pensamento passou por sua mente: o perigo era discreto e sorrateiro, como a coceira que continuava a formigar em sua perna invisível.

6.

Victoria odiava delegacias. Tinham cor, cheiro e textura muito específicos, que a faziam recordar: o grito ensurdecedor da sirene, vermelho e azul, vermelho e azul, o banco de couro repleto de falhas e ranhuras, o tec-tec do ventilador de teto, o gosto de hortelã das balinhas que os policiais lhe ofereciam no hospital para que parasse de chorar e respondesse às perguntas que faziam. Victoria aguardava fazia vinte minutos na sala do delegado titular. O sábado cinzento, com o céu cheio de nuvens e o vento forte, só piorava seu estado de espírito.

Sentado ao lado dela, o dr. Max tamborilava os dedos da mão direita na mesa enquanto mantinha a esquerda, enfaixada, sobre as pernas. Ele tampouco parecia confortável ali. Fizera uma rápida pesquisa na internet: em 1998, José Pereira Aquino era delegado substituto da unidade da Ilha do Governador e tinha sido o primeiro policial civil a chegar ao local do crime, depois que tia Emília deparara com o espetáculo horroroso e chamara a polícia. Atualmente, Aquino era delegado titular da 12ª DP, na rua Hilário de Gouveia, em Copacabana, a poucas quadras de onde Arroz morava. Victoria não entendia muito bem por que o psiquiatra achava tão importante que ela procurasse o mesmo delegado daquela época, mas concordara em fazê-lo.

Imersa naquele ambiente, as lembranças não paravam de voltar à sua mente. Na época, logo que saíra do hospital, fora colocada diante de homens altos e sérios. Tia Emília abraçava seu corpinho, repetindo pela milésima vez que sua mãe, seu pai e seu irmão tinham viajado para bem longe, para o céu. Fora só então que a notícia começara a fazer sentido em sua lógica infantil. Ela entendera que os tinha perdido para sempre e que estava sozinha. Mais tarde, compreendera também que havia um culpado por aquilo tudo: o Pichador. Escutara muitas vezes aquele apelido sem saber bem do que se tratava. Ainda hoje, em seus pensamentos, a figura monstruosa conservava certo caráter juvenil, como se não tivesse envelhecido. Sua imagem tinha traços esmaecidos, como um VHS.

Victoria se assustou quando o delegado Aquino entrou na sala e fechou a porta. Ela ficou de pé e o cumprimentou com um aceno de cabeça.

"Meu Deus, você cresceu", ele disse, forçando simpatia.

Victoria recolheu os braços para deixar claro que não queria apertar sua mão. O dr. Max fez aquilo no lugar dela, e o delegado não demonstrou nenhum constrangimento. Enquanto Aquino dava a volta na mesa e se sentava na cadeira, Victoria o observou. Ele era um homem calvo, sem pelos nos braços ou no rosto marcado de quem espremeu espinhas na adolescência. Tinha certo ar cansado, mas vestia roupas leves, como um turista no calçadão da praia. Parecia aguardar desesperadamente pelo dia da aposentadoria.

Recostado, Aquino cruzou as mãos sobre a mesa e balançou a cabeça com um meio sorriso no rosto.

"Impressionante… As pessoas mudam muito em vinte anos", ele disse.

Era um estranho reencontro. Suas vidas tinham se cruzado em uma situação extrema. Ao chegar ao local do crime, o policial encontrara tia Emília desesperada, abraçada à sobrinha-neta desmaiada. Resolvera contrariar o protocolo, levando Victoria nos braços até a área externa enquanto a ambulância não chegava. Agora, eles eram como dois estranhos obrigados a dividir a mesa em uma festa de casamento. Victoria ficou pensando se deveria agradecer. Com vinte anos de atraso.

"Fiquei surpreso quando avisaram que você estava aqui", ele disse. "Desculpa a demora. Um jovem que é a peça-chave de um caso que investiguei e que está em coma desde 2008 apresentou um sinal de melhora justo hoje. Dá pra acreditar? Depois de tanto tempo, me ligaram da Clínica Madre Teresa."

"Parece que é o dia dos casos antigos", o dr. Max disse.

Aquino mexeu no mouse, fazendo a tela do computador sair do descanso.

"Pedi para digitalizarem seu inquérito policial quando soube que viria", Aquino disse para ela. "Mas ainda não recebi."

Victoria ficou incomodada que ele usasse o pronome possessivo para se referir ao inquérito, como se toda aquela merda pertencesse a ela, mas continuou calada. Só ajeitou o lacinho nos cabelos.

"Naquela época, eram papéis e mais papéis, um inferno", o policial emendou. "Foi o primeiro grande caso que peguei. Não é todo dia que uma coisa dessas acontece. Lembro bem os detalhes. O que posso fazer por vocês?"

Victoria virou o rosto para o dr. Max, numa sugestão tácita de que ele deveria conduzir a conversa. O médico fez um resumo do que Victoria havia lhe contado, de maneira fria e organizada. Ela achou melhor assim. Era como assistir a um filme.

Aquino escutou tudo de braços cruzados, sem fazer interrupções, desviando os olhos semicerrados de vez em quando para Victoria.

Quando o dr. Max terminou de falar, o policial perguntou:

"Acha que Santiago voltou e pichou a parede do seu quarto?"

"Existe outra explicação?", Victoria retrucou.

Ela se deu conta de que era a primeira vez que abria a boca na conversa.

"Alguém pode estar tentando te provocar, algum inimigo. Saíram muitas notícias. Todo mundo sabe que o criminoso pichou o rosto das vítimas. Alguém pode estar imitando o desgraçado só para assustar você. Faz vinte anos, garota. Por que ele voltaria agora?"

"Mas ele está solto, não?", o dr. Max perguntou, tentando conter o nervosismo, sem muito êxito.

"Ficou menos de um ano num centro de socioeducação para menores infratores. Quando completou dezoito, entraram com habeas corpus e ele foi liberado. É assim que funciona a lei neste país. Santiago tinha dezessete anos quando cometeu o crime", Aquino disse, brincando com um clipe entre os dedos. "A ligação com as vítimas era óbvia: ele estudava na escola dos pais dela. De resto, nada faz sentido. Mauro era o diretor e mal tinha contato com os alunos. Santiago tinha sido aluno de Sandra no primeiro grau. Seu boletim era ótimo, todos disseram que adorava estudar lá, inclusive o pai dele."

"Santiago estudava na Ícone desde pequeno?"

"Entrou no que era a sexta série, aos onze. Nos anos seguintes, se meteu em confusões por pichar muros. Nada de mais, coisa de adolescente. Era um aluno dedicado, ia prestar vestibular pra medicina. Estava no último ano da escola quando cometeu o crime. Ninguém entendeu..."

"O que ele disse na época?"

"Nos interrogatórios? Nada. Não apontou um motivo, não

explicou o spray no rosto das vítimas...” Aquino fechou os olhos, tentando resgatar as memórias. “Fizemos uma série de perguntas, mas ele só ficou calado, de cabeça baixa, remexendo as mãos. Cheguei a pensar que aquele filho da puta fosse doente mental. Fizeram testes e concluíram que ele teve uma espécie de surto.”

“E ninguém nunca mais soube dele depois que foi liberado?”

Aquino deixou o clipe sobre a mesa num movimento teatral, então virou para o computador.

“No caminho pra cá, fiz uma pesquisa. Santiago Nogueira Odelli não é tão comum. No Google, só encontrei matérias referentes ao crime. No nosso sistema também não consta nada além disso. Ele não apareceu em nenhum boletim de ocorrência nesses anos todos. Por dirigir alcoolizado, bater na mulher ou qualquer merda dessas. Tem trinta e sete anos agora. Vai saber. Talvez seja um sujeito certinho, casado, com filho. Pelos depoimentos, nunca pareceu um assassino, se entendem o que quero dizer. Era calmo e quieto, como se vivesse num mundo só dele.”

“Como vocês o pegaram na época?”, o psiquiatra perguntou.

“Santiago praticamente se entregou. Recebemos uma denúncia de que um garoto tinha sido visto nas proximidades com a roupa suja de sangue, então colocamos viaturas para perambular pelo bairro e uma delas o encontrou. Ele estava sentado no meio-fio, numa esquina a poucas quadras do local do crime, olhando para as mãos ensanguentadas. Não reagiu quando foi preso.”

“Nunca houve dúvida de que foi ele?”

“Encontramos a faca e a lata de spray com o garoto, presa no cinto de ferramentas.”

“E a família dele?”

“A mãe tinha se mandado. Ou morrido, não lembro. Quem o criava era o pai, Átila. Um bom sujeito, discreto, trabalhador. Funcionário público, acho. Se manteve do lado do filho quando a merda toda estourou, claro, mas não ficava dizendo que ele era inocente nem nada do tipo. Só… aceitou. É isso, ele aceitou."

"E ainda mora no mesmo lugar?"

"O pai? Imagino que não. Destruíram a casa na época, quebraram janelas, picharam paredes. Você pode imaginar. Não é fácil ser pai de um assassino. É como se a família toda fosse culpada. Como se fosse uma questão de sangue."

"O que você pode fazer por nós?", o dr. Max perguntou, e Victoria gostou que ele tivesse se incluído na situação.

"Vou pedir para um policial ir ao apartamento tirar fotos. Depois, abro uma ocorrência."

Victoria baixou os olhos.

"Eu limpei a pichação."

"O quê?"

"Ela ficou nervosa e pintou a parede", o psiquiatra a defendeu.

Aquino soltou um suspiro cansado.

"Aí você me complica, garota. Não tenho o que fazer. A prova da invasão foi apagada, e sem invasão não tem crime. Se ele não levou nada e não agrediu ninguém…"

Victoria não gostou do tom do delegado. Manteve a cabeça baixa, como uma criança de castigo. Queria ir embora dali, voltar para casa e passar a tarde sem pensar em mais nada, muito menos pichações, mortes ou delegacias.

"Você tem fotos recentes de Santiago?", o dr. Max perguntou.

"Só daquela época. E são poucas. Como ele era menor, os jornais não podiam publicar."

Victoria preferia não ver foto nenhuma. Só de pensar nele, a câimbra na perna invisível já voltava com força. Ela se perguntava se o delegado sabia da perna mecânica. Teria acompanhado a cirurgia de emergência? Não queria mencionar o assunto na frente do psiquiatra. Ansiosa, perguntou ao dr. Max:

"Vamos embora?"

O médico parecia não querer sair de mãos vazias.

"Não tem nada que o senhor possa fazer?"

"Não posso me envolver oficialmente, mas vou tentar arranjar o contato do pai dele. Vocês podem ver se ele tem notícia do filho. Talvez tudo não passe de um mal-entendido."

Victoria achou uma péssima ideia, mas o dr. Max se animou.

"Isso seria ótimo."

"Me liga amanhã e aviso o que consegui."

Aquino voltou a cruzar os braços, indicando que a conversa tinha chegado ao fim. Victoria se levantou, fazendo um gesto de cabeça para o delegado, então foi até a porta, com o psiquiatra ao seu lado, como um cão fiel. Antes de sair da sala, teve vontade de fazer uma pergunta. Hesitou por um instante, mas o que tinha a perder? Virou-se para o delegado:

"Se visse Santiago hoje, acha que o reconheceria?"

Aquino pensou um pouco. Passou os olhos castanhos pelo dr. Max e os fixou em Victoria, dando de ombros.

"As pessoas mudam muito em vinte anos."

7.

Eram duas horas de viagem até Iguaba Grande. Estavam no carro do dr. Max — um SUV Chrysler 2010 preto que mais parecia uma van escolar, com portas traseiras de correr e um bagageiro enorme. Enquanto seguiam pela BR-101, Victoria pensava em como o veículo parecia impróprio para o psiquiatra: grande demais, chamativo, exagerado. Um carro daqueles só fazia sentido para alguém com uma família enorme, com três ou quatro filhos. Ela não achava que fosse o caso, mas se deu conta de que sabia muito pouco sobre o médico. Sentiu-se em desvantagem. Ele nunca falava de si mesmo, nem para citar exemplos. Nas sessões, o assunto era apenas ela. Victoria pensou em como sessões de terapia eram absurdas: a pessoa contava todas as barbaridades que pensava a um desconhecido e seguia seus conselhos como se fosse um messias.

Ela tinha reparado no primeiro dia que o dr. Max não usava aliança e deduzira que ele não tinha mulher ou filhos. O médico parecera do tipo solitário que passava os fins de semana lendo e estudando, talvez cercado de cachorros. Agora, diante daquele carro, ela se via obrigada a repensar a hipótese. O dr. Max devia ser atraente para a maioria das mulheres, não só pela altura, mas pelo físico bem definido e pelo rosto atípico: reconfortante, mas sisudo; jovem, mas coberto de pelos grisalhos.

O psiquiatra dirigia como falava: calmo, firme e atento. Ouviam um CD de jazz instrumental. Victoria passou os olhos pelo carro em busca de pistas. Nada de sujeira nos tapetes, nenhum brinquedo no banco traseiro, couro intacto, bagageiro vazio. Era um carro extremamente limpo, mas sem personalidade. Ela decidiu que investigaria o porta-luvas se o dr. Max parasse num posto de gasolina para ir ao banheiro. Havia um terço preso ao retrovisor central. Aquilo também era novidade. Ela nunca havia cogitado que ele fosse religioso.

O celular tremeu no bolso de Victoria, que o pegou e ficou paralisada. O médico baixou a música.

"Não vai atender?", ele perguntou.

Era Georges. Victoria já havia decorado o telefone dele.

"Melhor não."

Ela recusou a ligação e devolveu o aparelho ao bolso.

"É da casa de repouso?"

"Não."

"Se importa se eu perguntar quem era?"

"Estamos fazendo uma sessão dentro do carro?"

Ele sorriu e balançou a cabeça, sem tirar os olhos do trânsito.

"Estamos só conversando. Como dois amigos."

"Saí com o escritor na segunda-feira. O nome dele é Georges."

O dr. Max não conseguiu conter a surpresa e olhou para ela.

"Está falando sério? Por que não me contou antes?"

"Aconteceu tanta coisa..." Victoria suspirou. "E não foi nada de mais."

"Nada de mais?"

"Ele só me convidou para ir num restaurante ali perto. Eu aceitei e a gente conversou um pouco."

"E o que achou da conversa?"

"Foi... legal."

Tinha sido mais que legal, só que ela não queria abrir margem para interpretações.

"Muito bom, Vic. Muito bom", o médico disse. "E por que acha que Georges te ligou agora?"

"Ele me chamou para sair de novo na sexta. Com tudo isso, acabei esquecendo."

"E não deu nenhuma satisfação?"

"Não sei o que o cara quer comigo."

"Te conhecer, ué."

"Me conhecer? Comecei a contar do meu passado e ele ficou chocado."

"E como esperava que ele reagisse?"

Victoria deu de ombros.

"Pretende encontrar Georges de novo?"

"Não sei."

E não sabia mesmo. O encontro com o escritor e até mesmo a raiva de Arroz tinham passado a parecer pequenos demais. Vez ou outra, Victoria se pegava pensando nela e em Georges fazendo piadinhas e falando banalidades. Algo que parecia inatingível naquele momento.

"Às vezes, é bom se distrair", o psiquiatra disse.

"Quem te dá mais trabalho? Eu, o filho do Vampiro de Caxias ou o garoto-cão?"

O dr. Max arqueou as sobrancelhas.

"Não fale assim, Vic."

Ela apoiou a cabeça no encosto e ficou olhando a estrada pela janela, enquanto as notas graves dos instrumentos de sopro da música, marcadas por um baixo firme, reverberavam em seu interior. Esperou que a faixa terminasse para perguntar:

"Você é casado?"

"Por que quer saber?"

"Esse carro enorme não combina com você."

"Como achou que fosse meu carro?"

"Menor", ela disse. "E você não me respondeu."

"Me separei há algum tempo."

"Tem filhos?"

"Não, Vic, não tenho. Mas vamos parar por aqui, está bem?"

Ela não conseguia imaginar a aparência da ex-mulher do dr. Max. Era interessante enxergar o médico como uma pessoa comum, com alegrias e problemas na vida. Em que momento havia se separado? Por qual motivo? Ela o tinha traído? Ou fora ele quem arranjara uma amante? Talvez não fosse culpa de ninguém, apenas o discreto desgaste da convivência diária. Victoria já era paciente dele quando o divórcio acontecera? Ela não tinha reparado em nada, em nenhuma variação de humor ao longo dos anos. Era como se a existência do psiquiatra tivesse se restringido ao consultório, mas então começasse a transbordar para outras áreas de sua vida. Victoria entendia bem o que ele queria dizer com "ultrapassar limites", e não deixava de se perguntar o que significava estar no carro com seu psiquiatra a caminho de Iguaba Grande para visitar o pai do garoto que matara sua família.

Iguaba era um dos municípios da região dos lagos. O lugar costumava lotar no verão e nos fins de semana ensolarados. Comparado a Búzios ou Cabo Frio, revelava toda a sua decadência: ao longo da orla, estendiam-se quiosques quase vazios com músicos tocando violão, aparelhos de musculação enferrujados e uma areia marrom pouco convidativa. A lagoa era mansa, com terra lodosa em volta e águas mornas e escuras.

Eles chegaram à rua principal no meio da tarde. Estava razoavelmente cheia para um domingo morno, com seus restaurantes de caldos, supermercados, sorveterias de qualidade duvidosa, lojas de material de construção, lan houses e pizzarias. O dr. Max consultou o papel com o endereço que pegara naquela manhã, ao ligar para o telefone que o delegado Aquino havia passado. Eles seguiram por mais cinco quadras até o número certo: um portão de ferro verde que servia de entrada para uma vila de casas simples.

"É a casa dez", o dr. Max disse.

"Certo", Victoria disse. "Se importa que eu vá sozinha?"

Ele a observou, sério.

"Tem certeza?"

Ela não tinha. Estava morrendo de medo, mas não queria parecer vulnerável.

"É melhor não ultrapassar mais um limite", disse, forçando um sorriso.

O psiquiatra concordou. Enquanto tirava o cinto de segurança, Victoria tentou se acalmar. O canivete suíço estava no bolso traseiro da calça. Ela encarou a mão enfaixada do médico, que repousava sobre o volante, e se sentiu culpada. Precisava se controlar. Não pretendia usar o canivete contra o pai de Santiago, mas não fazia ideia de como ele ia recebê-la.

"Já volto", disse, abrindo a porta do carro.

Victoria colocou a mochila jeans nas costas e caminhou do jeito mais natural possível. Não tinha dúvidas de que o psiquiatra a observava se afastar, mas evitou pensar naquilo. Empurrou o portão e entrou na vila silenciosa, seguindo pelo meio da rua de terra. As casas eram térreas ou tinham dois andares, com garagem na lateral e jardim na frente. A maioria era protegida por grades com placas do tipo CUIDADO, CÃO BRAVO, ainda que ela não escutasse nenhum cachorro latir.

A número dez era igual às outras. Atrás do portão, uma menina se divertia em uma piscina de plástico. Não devia ter mais do que oito anos e estava compenetrada em deixar um patinho amarelo submerso. A sombra projetada na parede fazia lembrar a garra de um monstro de ficção científica. Quando pequena, Victoria adorava fazer figuras com sombras. A mãe havia lhe ensinado. Com as duas mãos, imitava cachorros, elefantes e passarinhos. Agora, o desenho na parede parecia um mau agouro.

Ela se aproximou da grade, observando a menina brincar. Dos fundos da casa, subia uma fumaça e um forte cheiro de carne na brasa.

"Quem é você?", a menina perguntou, deitando a cabeça no ombro de um jeito meigo.

"O Átila mora aqui?"

A menina fez que sim, então pulou fora da piscina, mordeu o patinho amarelo e saiu correndo para dentro da casa, toda molhada, gritando: "Papaaaaai!". Segundos depois, apareceu um homem moreno, com a pele enrugada, cabelos longos e muito escuros (sem dúvida pintados), olhos pequenos e nariz adunco que indicava ascendência árabe. Estava de chinelo, short e uma regata que deixava entrever os pelos debaixo dos braços.

"Meu nome é Victoria", ela começou, enquanto Átila se aproximava da grade.

"Eu sei. Estava esperando você", ele disse, sério, já abrindo o cadeado do portão. "Vamos conversar lá dentro."

Victoria foi invadida pela sensação de que estava fazendo algo muito errado. O passado era uma ferida profunda, mas cicatrizada, cuja casca ela havia aprendido a não cutucar. Ali, diante do pai do assassino de sua família, estava prestes a arruinar tudo, expondo o machucado em carne viva.

Mesmo assim, ela passou pelo portão e seguiu Átila até a pequena sala de estar. A televisão exibia uma corrida de carros. Havia uma pequena adega abastecida no corredor. Victoria baixou os olhos, evitando as garrafas. Sabia que um pouquinho de álcool ajudaria a acalmar. Tentou criar alguma distância emocional e encarar aquela visita como as que fazia com Arroz a apartamentos ocupados, mas era impossível. A menina passou de novo por eles, seguindo para a piscina com um pedaço de carne sangrando na mão. Eles continuaram até o quarto no final do corredor, onde havia uma cama de casal, um armário antigo e um sofá cheio de roupas e papéis avulsos. Era tudo muito apertado, opressivo. Átila afastou algumas peças para liberar espaço.

"Fica à vontade", disse, fechando a porta. Ele sentou na beirada do colchão. "Minha esposa saiu para comprar bebida. Estou fazendo um churrasco e tenho que ficar de olho na Valentina. Infelizmente, não posso demorar muito."

Victoria concordou, esfregando as mãos suadas. A vida familiar corria num ritmo agradável, e ela havia chegado para sacudir a paz deles. Era uma intrusa.

"Desculpa, não queria atrapalhar", disse.

"Seu médico me ligou e contou o que aconteceu..." Átila não conseguia encará-la. Victoria também preferia evitar contato visual enquanto conversavam. O quarto era todo decorado com motivos náuticos. Havia discos antigos e uma vitrola em cima de uma caixa. "Não sei do Santiago faz muitos anos. Depois da tragédia, fui obrigado a me mudar. Os vizinhos me olhavam torto, eu recebia trotes de madrugada e chegaram a me ameaçar de morte, como se eu fosse culpado também. Vim pra cá pra ficar longe do Rio. Me casei de novo. Tive uma filha há sete anos."

"Ela é fofa", Victoria disse, tentando ser gentil.

Átila balançou a cabeça:

"Você não vai acreditar em mim, mas Santiago era tão doce quanto ela. Educado, obediente, não falava palavrão. A gente morava num apartamento em Jacarepaguá que eu comecei a pagar logo que saí da faculdade. A gente era feliz lá. Aí veio a doença da minha mulher. Ela morreu em poucos meses. Câncer. A perda mexeu muito com a gente. Parecia insuportável ficar naquele apartamento, naquele bairro. Tudo me lembrava dela. E Santiago era muito ligado à mãe. Dava pra ver que ele estava machucado, mas não queria falar muito. Você sabe como é perder quem a gente ama tão cedo…"

"Sei." Ela engoliu em seco.

"Eu sempre quis morar em casa, cuidar de jardim, essas coisas. Vendi o apartamento e comprei um lugarzinho na Ilha do Governador, ali na Ribeira. A escola da sua família ficava a poucos quarteirões a pé e era barata. Era bom porque Santiago podia ir sozinho."

Victoria percebeu que Átila não o chamava de filho. Ele seguiu falando.

"Eu saía cedo pra trabalhar e nunca tive condição de pagar empregada. Ele se deu bem na escola, fez alguns amigos. Talvez fosse uma turma esquisita, meio mal-encarada, mas pra mim era coisa de pré-adolescente. Eles se vestiam de preto, escutavam rock barulhento e faziam besteira na rua, como tacar ovo no para-brisa dos carros ou assustar velhinhos. Achei que fosse algo inocente."

"Você visitava seu filho no centro de menores?"

"Visitava", Átila disse, incomodado. "Às vezes."

"Às vezes?"

"Por um tempo, eu… evitei Santiago. Não era fácil pra mim também."

"Nas visitas, sobre o que vocês conversavam?"

"Nunca sobre o que ele fez, se é o que quer saber. Santiago estabeleceu essa condição logo de início. Sempre teve muito interesse por imagens. No centro, devorava livros de design, arquitetura, fotografia. Ficava me falando a respeito, e eu só escutava."

"Ele nunca perguntou sobre mim? Sobre minha família?"

"Uma vez Santiago perguntou sobre seu estado de saúde. Você ainda estava no hospital."

"Ele queria que eu tivesse morrido?"

"Não, claro que não. Estava arrependido. Ficou feliz quando contei que você estava bem, que tinha saído da UTI. Não *disse* que estava feliz, mas eu percebi."

"Quando seu filho foi solto?"

"Pouco depois de completar dezoito anos. Na época, eu estava morando de favor com um amigo, em Duque de Caxias. Santiago foi morar comigo, mas já não era mais o mesmo. Ninguém é o mesmo depois de um lugar daqueles. A prisão para menores é pior do que a de adultos, vai por mim. Eu não sentia mais nenhuma conexão com ele. Tinha uma barreira entre a gente."

"Fora da prisão, ele nunca falou sobre aquela noite?"

Átila negou com a cabeça.

"Até hoje me pergunto por que ele fez aquilo. Mas acho que sempre vai ser um mistério. Talvez nem ele soubesse responder. Pra mim, nunca fez sentido. Um dia, um bom garoto invade uma casa com uma faca e mata todo mundo. Cadê a lógica? Sem dúvida, alguma coisa aconteceu. Algo que mexeu com ele, com sua alma. Santiago deve ter se metido em coisa feia, confiado nas pessoas erradas. Mas ele nunca quis me falar. Para meu próprio bem, resolvi seguir em frente, em vez de ficar remoendo essa história. Você deveria fazer o mesmo."

"Era o que eu estava fazendo até chegar em casa e ver uma pichação na minha parede."

"Talvez não tenha sido ele."

Havia certa paz na postura de Átila, que estava com a coluna ereta e as mãos apoiadas nas coxas, como um sábio, dono de todas as verdades relativas ao homem e à natureza. Um silêncio incômodo ganhou força. A ideia de que outra pessoa estivesse usando aquela história contra ela parecia absurda a Victoria. Só podia ser Santiago, ainda que não entendesse o motivo.

"Quando vocês se separaram?"

"Um dia qualquer, sem mais nem menos, acordei e ele não estava mais em casa. Santiago tinha muita raiva. Dizia que havia sido abandonado na prisão. Então acho que resolveu me abandonar também. Levou cinco mil reais que eu tinha escondido numa gaveta."

"Com quantos anos ele estava?"

"Dezenove."

"Desde então...?"

"Nem uma ligação."

"E você não tem fotos dele?"

"Só de criança."

Átila se levantou e contornou a cama, passando pela janela. Abriu a porta do armário e subiu no colchão, então enfiou o braço na parte de cima em busca de alguma coisa.

"Quando ele saiu da cadeia, estava muito mudado, mais pálido. Se recusava a aparecer em fotos. E eu mesmo não tinha nenhum motivo pra tirar", continuou, ficando na ponta dos pés para alcançar o fundo do armário, de onde retirou uma caixa de papelão empoeirada, do tipo usado para guardar arquivos de escritório. Átila precisou segurá-la com as duas mãos. Assoprou o pó de cima e desceu da cama, voltando a se sentar com ela sobre as pernas. Depois de abrir a tampa, pegou uma foto do topo e estendeu para Victoria. "Essa foi tirada na formatura do primeiro grau."

Santiago era um garoto comum, moreno claro, com nariz pequeno acima de duas linhas que mais pareciam um rasgo do que uma boca. Na foto, devia ter catorze anos. Havia um orgulho evidente nos olhos pretos. Ele posava sorridente, com beca e capelo, diante de um fundo acinzentado. O símbolo da escola Ícone (uma tocha olímpica estilizada) aparecia na altura do bolso.

"Ele estava tão feliz nessa época", Átila disse, ainda mexendo na caixa. Retirou um caderno pesado, deixou a caixa de lado e o apoiou sobre as pernas. "Tem isso aqui também. Um diário que ele escrevia quando tinha uns onze anos, por recomendação de um psicólogo. Logo depois que a mãe morreu, Santiago fez umas sessões numa clínica da prefeitura. Parou quando mudamos de bairro, mas continuou a escrever mesmo assim. Pouco antes de ir embora, pediu pra eu te entregar o caderno caso você aparecesse. Mas você nunca apareceu. Até agora."

O caderno de espiral tinha tamanho médio e era grosso, com capa dura verde-limão e folhas pautadas já um tanto amareladas. Victoria o folheou. As páginas preenchidas com caneta azul emanavam cheiro de guardado.

"Pode levar. É seu." Átila ficou de pé e bateu as mãos nas coxas. "Agora, posso te pedir um favor? Não me leva a mal, mas... Por favor, não me procura mais. Já sofri muito com tudo isso, precisei me reinventar. Hoje vivo em paz com minha família. Não quero mais saber dessa história."

Ela entendia o lado dele. Concordou, mantendo o caderno junto ao peito. Parecia pesar toneladas. Átila a acompanhou até a saída, sem trocarem mais nenhuma palavra. A menina deu tchauzinho para Victoria, enrolada na toalha e tremendo de frio. Ela reparou que faltava um dente em seu sorriso, e aquele detalhe a encheu de compaixão. Seguiu pela rua sem saída folheando as páginas, ansiosa por absorver todas as palavras. Na primeira folha, constava o nome completo de Santiago, em uma letra grande, redonda e bem cuidada. No alto de cada entrada, havia dia, mês e ano.

Então uma foto caiu no chão e a fez parar. Victoria a pegou e estudou com interesse. Nela, havia três meninos abraçados, com cerca de doze anos, usando bermuda azul-marinho e camisa bege com o logo da escola Ícone. Ao fundo, apareciam os balanços e a gangorra do parquinho da escola. Santiago era o da direita, mas ela não sabia quem eram os outros. Uma súbita queda de pressão a obrigou a se sentar no meio-fio. Victoria levantou a cabeça, respirando fundo e tentando fixar os olhos em algo que a mantivesse desperta. Daquela distância, o carro na entrada da vila era apenas um ponto preto. Ela folheou mais um pouco o caderno, enquanto seu ritmo cardíaco normalizava. As palavras de Átila reverberavam em sua cabeça. *Santiago deve ter se metido em coisa feia, confiado nas pessoas erradas*... Quando se sentiu um pouco melhor, tirou o canivete suíço do bolso e guardou na mochila, junto com o caderno. Depois, seguiu até o carro.

O dr. Max a encarou, ansioso.

"Como foi?"

"Ele não sabia de nada."

O psiquiatra piscou algumas vezes, decepcionado.

"Nada?"

"É."

Enquanto não lesse o caderno, Victoria preferia não o mencionar a ninguém. Afundou-se no banco, abraçada à mochila, ansiosa para chegar em casa.

8.

DIÁRIO DE SANTIAGO

1º de março de 1993, segunda

Odeio a escola nova. Odeio a casa nova. Odeio esse lugar horrível em que a gente veio morar. No prédio, eu podia brincar com o Lucas, o Tássio e o Henrique. Sei lá quando vou ver eles agora. Minha escola era menor e mais legal. Essa nova é um prédio marrom enorme. Tem umas crianças chatas do jardim que gritam e correm o tempo todo e um pessoal mais velho que fica falando palavrão e olhando torto pra gente. Pelo menos é legal ver as meninas mais velhas, com peitão e bundão. Tem várias muito gostosas. As meninas da minha turma são chatas, e os meninos também. Só a Rayane Motta é legal. Ela põe a língua entre os dentes de um jeito perfeito pra falar o sobrenome dela. E tem olhos verdes e um cabelão que chega na cintura. Mas nem olha pra mim.

Hoje meu pai veio contar todo animado que a d. Teresinha

disse que pode me buscar na escola quando ele tiver que ficar no trabalho até tarde. Só falei que posso ir e voltar sozinho. Ele acabou deixando, porque fica perto e eu prometi olhar pros dois lados antes de atravessar a rua. O Igor e o Gabriel iam me sacanear quando me vissem com a d. Teresinha.

Igor e Gabriel são os dois garotos mais insuportáveis da minha turma. Sentam lá atrás e passam a aula toda falando. A professora de matemática até deu bronca neles. Ficaram morrendo de medo, porque a Sandra é brava de verdade e ameaçou ligar pros pais. Ela é mulher do diretor, então pode até expulsar eles se quiser. Depois do recreio, na aula de geografia, eles colocaram uma tachinha do mural na cadeira e riram muito quando o Lauro sentou. Na saída, vi o Igor tirando um spray da mochila e pichando o muro de uma casa azul pertinho da escola. Não sei quem mora lá. Quando passei, ele parou e olhou, mas virei o rosto na hora e andei depressa até em casa. Acho que ele nem ligou. Às vezes, não é tão ruim assim ser invisível.

[...]

5 de maio de 1993, quarta

Hoje a tia Ecleia, professora de artes, chegou na sala cheia de material dizendo que o dia das mães estava chegando e que a gente ia fazer um porta-joias de madeira. Ela pediu pra todo mundo trazer uma foto com a mãe para colar na tampa. Eu falei que não tenho mais mãe, aí a tia Ecleia ficou vermelha e disse para eu fazer pro meu pai então.

Quando ela saiu da sala pra buscar mais cola, o Igor deu um cuecão no Lauro, tão forte que ele ficou sem ar e teve que segurar o choro. Deve ter doído muito. A Rayane ficou assustada. Minha vontade foi de abraçar ela e dizer que ia ficar tudo bem.

Mas não fiz isso. Depois o Igor começou a jogar papel em mim. Ele e o Gabriel ficaram me chamando de "filho de chocadeira". O Igor acha que só porque é mais alto e já tem pelo no sovaco pode fazer o que quiser, e o Gabriel obedece. Foi me dando muita raiva, aí levantei e dei um soco no puxa-saco. Todo mundo ficou me olhando, e a Rayane sorriu pra mim.

A professora me mandou pra sala do diretor, que parece uma múmia, e não deu em nada. Só levei uma anotação pra casa. Não paro de pensar no Igor e no Gabriel me chamando de filho de chocadeira. Minha vontade é de matar os dois.

[...]

21 de maio de 1993, sexta

Aconteceu uma coisa diferente na escola hoje. Voltei mais cedo do recreio, o Igor e o Gabriel estavam em cima do tablado do professor. Eles estavam esfarelando o giz do quadro-negro e juntando o pó dentro de um saco plástico. O Igor pediu ajuda e, sem pensar muito, obedeci. Depois, o Gabriel subiu em uma carteira e colocou o giz nas pás do ventilador, que estava desligado. O Igor me entregou o outro saco plástico e mandou colocar no ventilador de trás.

No meio da aula de português, recebi da Rayane um pedacinho de papel dobrado, escrito: "Diz pra ele que está com calor". Olhei para trás e o Igor piscou para mim. Era dele o recado. De novo, obedeci.

Quando o professor ligou os ventiladores, o pó de giz começou a cair como se fosse neve, fazendo todo mundo rir. Igor puxou o coro de "Bate o sino" e toda a turma cantou junto. O professor ficou muito bravo. Fui parar na diretoria de novo. Eu, Igor e Gabriel. Levei outra anotação pra casa, e o idiota do diretor garantiu que na próxima vez vou ser suspenso. Foi muito engraçado. Na saída, o Igor me chamou pra ir na casa dele amanhã. Disse que o Gabriel também vai e que a gente pode ficar jogando video game até tarde.

Até que o Igor e o Gabriel não são tão insuportáveis assim.

22 de maio de 1993, sábado

Fiquei a tarde toda na casa do Igor hoje. A mãe dele é bem diferente do que eu pensava. Ela é gorda e legal, ri alto e fala sem parar. O pai não estava em casa (acho que eles estão se separando, mas o Igor não quer contar). Ficamos jogando Master System, mas o Gabriel ganhava quase sempre, porque ele também tem video game em casa e joga o dia inteiro.

No fim da tarde, a mãe legal dele fez nuggets e não se importou que a gente colocasse muito ketchup. Daí o Gabriel começou a falar da semana de atividades na serra, que vai ser em um sítio em Petrópolis. O Igor comentou que é muito legal, porque a gente vai no ônibus da escola e dorme em beliches, então não tem muito controle. Foi lá que ele perdeu o BV no ano passado.

Aí ele perguntou se eu era BV. Eu não sabia o que era BV, e ele explicou que era "boca virgem", quem nunca beijou ninguém. Fiquei com vergonha e menti. Falei que tinha ficado com uma menina na outra escola. Eles não acreditaram e começaram a me sacanear. Ficaram perguntando quem eu queria beijar lá na escola. Eu não queria falar da Rayane, mas também não quero que achem que sou bicha. Daí o Igor falou que tocava muita punheta pensando nas professoras, tipo a Sofia, a Sandra e a Ana Luísa. Eles riram, e eu fiquei sem entender. O Igor me cutucou e disse que eu tinha cara de que tocava muita punheta.

Eu não sabia o que era punheta. Mas, como o Igor tinha

falado que tocava, então concordei. Só que os dois sacaram a mentira e morreram de rir. Depois acabaram explicando, e voltei pra casa com muita vontade de experimentar. Fui direto pro banho.

23 de maio de 1993, domingo

Hoje passei o dia no sofá vendo TV. Meu pai ficou no quarto e saiu no meio da tarde pra ajudar a d. Teresinha a comprar ração para os bichos dela. Quando ele saiu, corri pro banheiro. Tinha passado o dia cheio de vontade de tocar punheta de novo. Sentei na privada, fechei os olhos e pensei na Rayane, enquanto mexia no pinto. A pele é meio presa e dói um pouco, mas é uma dor boa. Fiquei muito tempo ali, até que senti a ardência que o Gabriel tinha falado. Quis fazer mais, mas ouvi a porta de casa batendo. Vesti a cueca depressa e dei descarga para disfarçar.

[...]

13 de junho de 1993, domingo

A mãe do Igor passou o dia fora e a gente ficou sozinho na casa dele, jogando video game. Aí, o Igor pausou o jogo e perguntou se eu queria fazer algo legal de verdade. Ele abriu o armário e jogou um spray no meu colo. Os dois nunca tinham me chamado pra grafitar com eles. O Gabriel disse que eu tinha que fazer um ritual pra entrar no grupo. A gente saiu de casa levando o spray na mochila.

Perguntei o que a gente ia pichar, mas o Igor só riu baixinho. Então parou na frente da casa da d. Teresinha, que é bem grande e tem grade baixa. Os bichos dela ficam presos nos fundos, e o Gabriel disse que a gente ia pular o muro.

Eu não queria. Ali é muito movimentado, alguém podia ver.

E a casa do diretor fica bem do lado. Mas eles falaram que eu não ia entrar no grupo, aí, pulei. Os cachorros da d. Teresinha começaram a latir lá de trás. Na janela da frente, tinha dois gatos, um branco e um preto. Gabriel me mandou assinar a parede, mas eu nem tinha assinatura. Pensei um pouco e fiz um 22, que é meu número da sorte. A assinatura do Igor é tipo um tridente do demo, e a do Gabriel parece uma omelete, mas ele disse que é uma tartaruga.

Fiquei com pena da d. Teresinha e falei que queria ir embora, mas o Igor abriu a mochila, pegou outro spray e me entregou. Tinha um símbolo de caveira no rótulo. O Gabriel pegou o gato branco que estava na janela e disse que eu tinha que pichar. Eu tentei dizer que não, mas ele insistiu. Mirei o spray na bunda, mas acabei acertando os olhos sem querer. O gato reclamou e ficou tentando me arranhar. Quando o Gabriel largou ele, achei que o bicho fosse me atacar. Mas não. Ele ficou se debatendo, gemendo alto, enquanto a tinta preta engolia a pele dele. Aquilo não era normal. Olhei para a lata sem entender e perguntei o que tinha ali. O gato mexia as patinhas no ar e sangrava. O Igor disse que era tinta com soda cáustica. Fiquei sem reação, olhando o bicho em carne viva. O Igor deu um soquinho no meu ombro e falou: “bem-vindo ao time”. Depois, pulou o muro e saiu correndo.

9.

A luz da manhã invadiu a janela do apartamento, criando um semicírculo na bancada da cozinha. Conforme as horas avançaram, o desenho foi se transformando em um círculo completo e atingiu em cheio o rosto de Victoria, imersa em um sono profundo no sofá, com o caderno aberto sobre o peito. Ela despertou ofegante. Tinha passado a madrugada lendo o diário de Santiago. A maior parte dos registros descrevia episódios ordinários, como idas ao médico, fins de semana com o pai e programas de TV.

Ainda num estado de letargia, ela ficou olhando a foto dos três meninos na escola, guardada na contracapa do caderno. Os outros dois deviam ser Igor e Gabriel. Victoria ficara enojada com os trechos sobre masturbação e com a invasão à casa de d. Teresinha. Tinta com soda cáustica? Então as brincadeiras deles não se limitavam a jogar ovos em carros, como Átila dissera. Aquilo era muito mais sério. Ele não tinha lido o diário do filho?

Era como investigar a intimidade de alguém próximo, mas ao mesmo tempo distante. Victoria conhecia quase todos aqueles nomes, de vizinhos e professores. Seus pais eram mencionados diversas vezes. Deitada, ela alcançou o celular na mesa de centro. Além das dezenas de ligações de Arroz, havia uma mensagem do dr. Max para confirmar a sessão do dia. Antes de se sentar no sofá, ela respondeu que iria.

A ameaça de Santiago era como um perigo silencioso e indecifrável. Mesmo dentro do apartamento, Victoria se sentia desamparada. O que ele esperava dela? Não podia se deixar levar pela paranoia, ou estaria perdida. Espreguiçou-se, estalando os ossos, e encaixou a perna mecânica, apoiada ali perto. Olhou para o caderno sobre a almofada, aberto no ponto onde tinha parado. Queria continuar a leitura. Estava certa de que encontraria algo, mas precisava de um tempo para se recuperar. A imagem do gato de d. Teresinha se contorcendo de dor ainda revolvia seu estômago. Tinha dormido muito pouco — quatro horas, no máximo — e sentia o impacto da falta de descanso nos ombros doloridos e nos olhos pesados.

O banho quente ajudou a melhorar seu estado. Teve vontade de pegar sob a cama as caixas antigas onde guardava os álbuns de família, documentos antigos e recordações familiares (como cartas do Papai Noel e do Coelhinho da Páscoa com dicas para encontrar presentinhos escondidos), mas estava atrasada. Guardou o canivete suíço no bolso da calça e saiu, atenta às pessoas na calçada e ao interior dos carros. Estranhou um homem na esquina com os olhos fixos nela e atravessou a rua, já começando a suar frio. Contornou o quarteirão para se aproximar dele pelas costas, com o canivete firme na mão. A poucos metros, percebeu que era um vendedor de rua, com uma banca de balas e chicletes. Ao vê-la, ele abriu um sorriso safado e perguntou se queria chupar alguma coisa. Victoria se afastou sem dizer nada.

Chegou ao consultório quinze minutos atrasada, tocou a campainha e esperou dois segundos. Teve uma surpresa quando a porta se abriu: o médico estava de cara limpa. Ela nunca o tinha visto sem barba, e não conseguiu conter o espanto.

"Eu sei... Fiquei diferente", o dr. Max disse, abrindo passagem.

"Como está a mão?", ela perguntou, vendo que o curativo continuava ali.

"Cicatrizando. Não se preocupe com isso."

A convivência mais próxima parecia não haver alterado a relação deles no consultório. O psiquiatra parecia mais desperto e jovial, apesar dos cabelos grisalhos e de uma preocupação discreta em seu semblante. Pela primeira vez, Victoria enxergava certa fragilidade nele. Não tinha tantas novidades para contar e continuava a preferir não mencionar o diário por enquanto. Ele quis saber como ela estava lidando com as coisas agora que começavam a se assentar. Victoria explicou que não sabia muito bem o que fazer: continuava a se sentir ameaçada e com medo, sem ideia do que Santiago pretendia. A possibilidade de que ele estivesse de volta era alarmante. Ela temia perder o controle a qualquer momento.

"Sua vida saiu dos trilhos muito cedo", o dr. Max disse. "E agora você tenta controlar tudo."

"Eu queria que fosse possível."

Ele sorriu, complacente.

"Eu sei. Mas, como não é, você acaba compensando."

"Como?"

"Fugindo... Já falamos disso. A bebida foi uma espécie de fuga. E sua família também é, muitas vezes."

"A morte da minha família é real", Victoria disse, ofendida. "A pichação na minha parede também."

"A questão é o que você faz com essa realidade... Olho pra você e vejo duas Victorias se equilibrando numa corda bamba. Por um lado, você é uma mulher madura, que trabalha, paga contas e tem as responsabilidades comuns de uma pessoa de vinte e quatro anos que mora sozinha. Por outro lado, às vezes se comporta como uma criança, evitando relações afetivas mais complexas e idealizando uma família perfeita."

O tom professoral era irritante. Ela teve vontade de se levantar e dar um soco na cara dele. Em vez disso, perguntou:

"O que quer que eu faça?"

"A pergunta certa é: o que *você* quer fazer? Vai se trancar em casa e viver como se tivesse quatro anos ou vai aceitar o passado e tomar consciência de quem é hoje?"

"Tenho consciência de quem sou hoje."

"É verdade..." Ele descruzou as pernas. "Você não se esconde de si mesma. Só se esconde do mundo."

O psiquiatra se inclinou, ficando com o rosto a centímetros do dela. Ele continuava a falar, mas Victoria não o escutava mais. Esperou ansiosamente pelo fim da sessão e se despediu sem encostar nele. O que o dr. Max queria, afinal? Que ela seguisse em frente como se nada tivesse acontecido? Diante da sombra de Santiago, tinha muita dificuldade de encaixar Arroz e Georges em sua vida. Nutria algo pelo escritor, não podia negar, mas tampouco podia contar o que estava acontecendo. Ele nunca entenderia.

Depois da consulta, ela atravessava a rua da Assembleia quando teve a impressão de estar sendo observada por dois homens. Colocou a mão no bolso, sentiu o peso do canivete e apressou o passo, sem olhar para trás. Chegou ao Café Moura pouco antes das dez e meia, ofegante. Margot e Ellen foram correndo ao seu encontro, entre preocupadas e curiosas.

"Tive uns problemas de família", ela explicou, escondendo a perturbação.

Seu Beli surgiu da cozinha e lhe deu um abraço que Victoria não conseguiu recusar. Ela contou rapidamente o que havia acontecido. O português ficou alarmado, mas Victoria garantiu que estava tudo bem e pediu que ele não comentasse nada com tia Emília. Ela mesma contaria, na hora certa.

Victoria passou os olhos pelo salão. Como não era hora do almoço, ainda estava um pouco vazio, com apenas cinco mesas ocupadas. No canto onde Georges costumava sentar, um casal conversava, trocando carícias e rindo. Victoria foi para o banheiro lavar o rosto. Diante do espelho, percebeu que estava ainda mais magra. Não havia comido quase nada nos últimos dias — a mandíbula protuberante a denunciava, e os olhos pareciam mais fundos.

Trabalhou o dia inteiro e até conseguiu se esquecer dos problemas, concentrada em organizar os pedidos, servir as mesas e controlar a quantidade de salgados no forno. Lá do fundo, como um mecanismo inconsciente, olhava para a porta toda vez que alguém entrava, mas Georges não apareceu. Às sete da noite, ela se despediu de seu Beli garantindo que voltaria no dia seguinte.

Ao atravessar a porta, viu Georges recostado em um poste na outra esquina, terminando de fumar um cigarro. Sentiu alívio ao ver que ele a estava esperando, mas tentou disfarçar o entusiasmo. Georges jogou a guimba no chão e pisou em cima, então colocou as mãos nos bolsos e foi em sua direção.

"Tive um frila e não pude vir antes", ele disse. "Estava só esperando pra falar com você."

"Não sabia que você fumava."

"Só quando estou nervoso", Georges disse, baixando os olhos e aproximando o rosto do dela. "Por que está me evitando?"

"Não é pessoal."

"Prefere que eu me afaste?"

Victoria levou o indicador à boca para roer a unha.

"Achei que você também tinha gostado de mim", ele insistiu.

"Preciso me proteger."

"De quem?"

O gosto de sangue preencheu sua boca. Queria contar a ele, mas não conseguia. Subitamente, tudo ao redor a incomodou — o calor, o barulho, as pedras portuguesas na calçada e o cheiro de cigarro que emanava de Georges. Desvencilhou-se dele, correndo pela rua da Assembleia. No largo da Carioca, suava frio, apesar da brisa fresca que varria a praça. Seguiu pela rua do Lavradio na direção da Lapa, passando em frente a motéis vagabundos e bares com executivos, todos esfregando sua felicidade na cara dela.

Ao entrar em casa, acendeu todas as luzes, tirou o jeans e se deitou de camiseta no sofá, abraçada a Abu, que cheirava ao perfume doce que passara nele para compensar o do spray de tinta. Pegou o caderno sobre a mesa de centro e voltou a ler. Georges, Arroz, o dr. Max... Todos aqueles homens e suas malditas pressões logo desapareceram de seu pensamento.

10.

DIÁRIO DE SANTIAGO

22 de junho de 1993, terça

Fiz doze anos. Não sei muito bem o que isso significa, mas acho que não sou mais criança. Também não sei se quero ser adulto. Adulto tem muito problema. Ter doze anos é ficar tipo no meio do caminho. Queria muito que nascesse logo pelo no meu sovaco e no meu peito. Outro dia, o Igor mostrou o pinto no vestiário, e ele já tem pelo. Fiquei pensando se eu tenho algum problema.

Minha festa de aniversário foi o máximo. D. Teresinha ajudou e meu pai comprou bolo, chiclete, cachorro-quente e refrigerante. Tinha muita Sprite, que eu ADORO. Veio quase todo mundo da escola, menos a Luytha, a Carol e o Lauro. O Lauro eu nem queria que viesse. O mais incrível foi que a Rayane veio. E me trouxe um presente: um relógio de cabeceira que brilha no escuro.

Antes da festa, meu pai me levou para cortar o cabelo e me deu um sapato novo, que parece uma bota de guerreiro da selva. Usei na festa e todo mundo achou legal. Ganhei bastante presente. Camisas maneiras, bonecos de luta e um tabuleiro de damas. O Igor me deu um spray e falou pra eu deixar escondido no armário.

Esse foi meu primeiro aniversário sem minha mãe. Se ela estivesse aqui, ficaria andando de um lado para outro daquele jeito dela, anotando quem deu o que de presente só pra poder falar mal mais tarde. Na hora de assoprar a vela, meu pai me disse para eu fazer um pedido, e eu pensei nela.

[...]

25 de junho de 1993, sexta

Acho que fiz uma coisa muito, muito errada. Nem sei se deveria escrever isso aqui. Eu estava no quarto, vendo televisão e pensando na Rayane. Me deu vontade de tocar punheta, aí nem pensei: coloquei a mão no pinto e comecei.

Meu pai entrou no quarto e botei o pinto pra dentro da cueca na hora, acho que ele não notou nada. Estava com a cabeça em outro lugar, todo arrumado e se olhando no espelho. Ele disse que ia sair com uma amiga e perguntou se eu me importava de ficar sozinho. Achei bom, porque eu ia poder tocar punheta em paz. Apaguei a luz do quarto e ficou só a luz do relógio que a Rayane me deu.

Coloquei o pinto pra fora e comecei a mexer nele. Depois de um tempo, veio a ardência. E aí aconteceu uma coisa estranha. Eu comecei a tremer. Vi que estava saindo uma coisa branca, gosmenta, meio transparente. Não era xixi. Era outra coisa. Achei que ia morrer. Fiquei apavorado e tive vontade de chorar.

Entrei correndo no banho, tentando fechar o pinto com a pele pra não vazar mais. Agora parou, mas estou com medo. Não sei se conto o que aconteceu pro meu pai quando ele chegar. Ele pode ficar muito chateado comigo. O Igor e o Gabriel vão saber me ajudar, na segunda. Espero que eu não tenha estragado meu pinto. Nunca mais vou tocar punheta.

[...]

28 de junho de 1993, segunda

Levei o dinheiro para o fim de semana na serra. A Rayane também vai. Eu vi ela pagando hoje. Da minha turma, acho que só o Lauro não vai. E não vai fazer falta. Na hora do recreio, o Igor disse pra gente combinar de sair no próximo fim de semana. Ele falou pra eu levar o spray, mas não sei. A d. Teresinha ficou muito triste por causa do gato... Fico mal toda vez que vejo o bicho mancando no quintal, arrastando a patinha de trás, metade dele em carne viva. O gato ficou cego de um olho, e tenho certeza que me reconhece. Ele sabe que fui eu que fiz isso com ele.

[...]

11 de julho de 1993, domingo

Hoje foi a festa de encerramento da semana de atividades na serra e do primeiro semestre. O Gabriel e o Igor falaram que a Rayane sabia de tudo e que a gente ia ficar. Tomei banho pensando nela. Coloquei minha melhor roupa e a bota que meu pai me deu de aniversário.

Mais tarde, a gente sentou em roda, umas vinte pessoas, e começou a jogar verdade ou consequência. Sentei bem na frente da Rayane, que sorriu para mim. Estava tocando aquela música "Cigana", do Raça Negra, que eu adoro. *Não deixe o tempo acabar com nosso amor. Eu faço tudo e o impossível e você não dá valor.* A gente ficou se olhando, mas a merda da garrafa nunca apontava pra gente. Fiquei esperando, esperando. O Caio beijou a Tati, a Natália deu um selinho no Arthur e o Rodrigo beijou a Letícia. Aí eu girei a garrafa e ela caiu pro Igor perguntar pra Rayane. Ela escolheu "consequência" e o Igor disse "me beija". Fiquei sem reação na hora. O Igor foi para cima dela e deu um beijão, na frente de todo mundo. O pessoal começou a gritar e a rir, mas eles continuaram beijando. Acho que a Rayane gostou, porque colocou a língua pra fora e tudo.

Levantei, amassei o copo de refri que estava tomando e joguei no chão. Saí sentindo meu rosto ficar todo vermelho. Meu corpo tremia de raiva. Minha vontade era pegar uma faca no refeitório e matar a Rayane e o Igor enquanto eles dormiam.

Fiquei no meio do mato, chorando encostado numa árvore. Aí, aconteceu... Escutei alguém se aproximando. Pensei que fosse a Rayane, mas não. Era o *verdadeiro* amor da minha vida. É claro que eu não sabia disso na hora. Nunca tinha reparado nela, não desse jeito. Na verdade, quando vi ela vindo, só tentei enxugar o rosto correndo, porque não queria que ninguém me visse assim, mas não deu tempo.

Ela colocou a mão na árvore em que eu estava encostado e ficou me olhando, sem dizer nada. Então, falou pra gente jogar um jogo, que ia tentar adivinhar por que eu estava chorando. Acertou de primeira. Como prêmio, pediu um abraço. Foi gostoso sentir o corpo dela perto do meu, seus peitos maravilhosos e seu coração batendo forte. O hálito quente dela no meu pescoço me deixou todo arrepiado.

Depois... Não sei se fui eu ou se foi ela. Quando vi, a gente já estava bem perto, se beijando. Senti a língua dela nos meus dentes e enfiei a minha na boca dela também. Foi um pouco nojento no início, mas depois achei uma delícia. Passou um tempo e ela recuou, cheia de vergonha, dizendo que aquilo não era certo, que ia embora, que não podia continuar, era perigoso.

Eu não queria que ela fosse embora. Puxei ela pra perto, fiz carinho no rosto dela, disse que era linda e insisti para ela ficar mais. Ela aceitou. Me pediu pra chamar ela de Rapunzel, e eu gostei. A gente se beijou de novo e de novo, e meu pinto ficou duro sem precisar da punheta. Foi tipo um sonho. Só que acordado.

Então, a gente escutou o barulho de outras pessoas saindo do dormitório e ela se afastou. Andou de volta pro galpão, prendendo os cabelões sem olhar pra trás. Fiquei sentado no escuro por muito tempo. E decidi que ninguém merecia saber o que tinha acontecido. Se eu contasse, podia estragar tudo. Vou continuar amigo do Igor e do Gabriel, mas nunca, nunca vou perdoar o que o Igor fez comigo. Ele e a Rayane se merecem.

Agora tenho minha Rapunzel. E esse é um segredo só nosso.

11.

Eram seis da manhã quando Victoria virou a última página do caderno. As anotações de Santiago acabavam ali — no fim de semana na serra em 1993. Sua mente estava a mil: queria entender o que aqueles episódios significavam e que relação teriam com o crime cometido anos depois. Afinal, por que mais Santiago diria ao pai para entregar o diário a ela?

Aproximando os olhos, ela reparou nos pedacinhos de papel já amarelados, quase se desfazendo, presos à espiral enferrujada. Consultou o número total de folhas na contracapa — quatrocentas e cinquenta — e contou uma a uma para confirmar sua suposição: havia apenas trezentas e vinte e duas ali. Atordoada, contou mais uma vez para confirmar, e constatou que faltavam mesmo folhas. Átila talvez soubesse de alguma coisa. Embora tivesse pedido que não o procurasse mais, ela pegou o celular e ligou. Não importava que ainda fosse cedo. Se o pegasse de surpresa e ainda sonolento talvez fosse até melhor.

O telefone chamou por um minuto inteiro sem resposta. Ela desligou e tentou outras três vezes, então decidiu ligar de novo mais tarde. Seguiu para o banheiro, onde tomou a medicação do dia sem se encarar no espelho. Mais uma vez, tinha dormido muito pouco. Seu rosto devia estar amassado. Era bem possível que as olheiras estivessem piores do que nunca. Mesmo assim, decidiu que não passaria nenhuma maquiagem. Era o rosto dela, e ninguém tinha nada a ver com aquilo.

Concluiu que podia se dar ao luxo de mais algumas horinhas de descanso antes do trabalho e foi para a cama. De olhos fechados, tentou pensar da perspectiva de um menino chegando a uma nova escola, ansioso para fazer amigos e viver uma história de amor. Ela não tivera aquelas experiências. Na escola, sempre evitara conversar e não nutrira interesse especial por ninguém. As crianças cochichavam e apontavam para ela. Alguns garotos mais velhos a tinham apelidado de *highlander*, porque havia sobrevivido à tragédia familiar.

Sem conseguir dormir, Victoria levantou da cama e entrou no banho. Aos poucos, sua balança emocional se equilibrava. Além de tia Emília, seu Beli e o dr. Max, ela tinha Arroz em sua vida, mas algum mecanismo de defesa patético a impedia de se abrir um pouco que fosse com ele. Sentada na privada, passou a toalha áspera pela cicatriz enorme na perna esquerda, pouco abaixo da patela, sentindo as terminações nervosas que respondiam ao toque. Era doloroso, mas também fazia com que se sentisse viva. Encaixou a perna mecânica e vestiu o jeans largo, depois ligou para Arroz. Ele atendeu no primeiro toque:

"Vic, eu te liguei tantas vezes essa semana..."

"Arroz, estou sendo ameaçada."

"O quê? Por quem?"

"Quero instalar câmeras no meu apartamento. Você me ajuda?"

"Eu... Claro", ele disse, confuso. "Vou ver o que consigo. Mas demora um pouco."

“Preciso o mais rápido possível.”

Ele pareceu pensar um instante.

“Enquanto isso, posso te emprestar meu telescópio.”

“Ótimo”, ela disse. “Me encontra no metrô da Cinelândia em uma hora?”

“Posso levar na sua casa.”

Victoria não queria Arroz ali.

“É difícil montar sozinha, Vic”, ele insistiu.

Ela suspirou.

“Anota meu endereço.”

Arroz esfregou as solas dos tênis fosforescentes no tapete para limpar a sujeira e entrou de cabeça baixa, com o rosto protegido pelos cabelos compridos caídos na frente dos olhos. Era evidente a barreira entre os dois — ele não encostou nela, não se aproximou para beijá-la ou abraçá-la nem fez perguntas sobre o que estava acontecendo. Em vez disso, comentou os livros na estante — “*O médico e o monstro* é minha história de terror favorita” —, deixou a bolsa grande com o telescópio desmontado em cima do sofá e, como um técnico contratado, pediu para ver a caixa de eletricidade.

Havia algo de diferente nele. Parecia ainda mais alto e mais magro, como um tronco seco. Seu rosto fino e ossudo estava marcado por duas olheiras profundas, e tinha deixado crescer uma barba rala que o deixava com uma aparência mais madura. Talvez finalmente estivesse disposto a assumir a idade, Victoria pensou. Mas as roupas eram as de sempre: bermuda de tactel laranja e camiseta preta com o prisma de *The Dark Side of the Moon*, do Pink Floyd. Então, ela reparou na novidade: Arroz tinha pintado as unhas de preto. Talvez não tivesse amadurecido tanto, no fim das contas.

Ao ver seu amigo no canto da cozinha, passando os olhos pelos interruptores do apartamento, Victoria teve certeza de que sua vida tinha virado de cabeça para baixo. Era como uma montanha-russa da qual ela não conseguia sair. Antes, o apartamento era um espaço sagrado, só dela, que ninguém mais podia acessar. Tia Emília tinha estado lá apenas uma vez, logo que ela se mudara, só para conhecer o lugar (e para garantir que a sobrinha-neta não tinha bebida alcoólica nos armários da cozinha). Então, em menos de uma semana, o dr. Max tinha passado a noite com ela e agora Arroz estava ali, com as mãos na cintura, analisando a fiação. Victoria não tinha muita certeza de que ele sabia o que estava fazendo, mas preferiu não perguntar. A distância entre eles a incomodava, mas era melhor do que a intimidade excessiva.

"Vou conseguir câmeras pra você", Arroz disse depois de alguns minutos. "Mas elas não vão ficar tão escondidas, por causa dos fios."

"Não tem problema."

"Vai me contar o que aconteceu?"

"Melhor não."

"Você fez algo errado?"

"Não exatamente."

"Sempre quis vir na sua casa, mas nunca pensei que seria desse jeito." Arroz uniu as mãos e estalou os dedos. "Não gosto de ficar longe de você, Vic."

"Nem eu."

"E não gosto que me procure só quando precisa de ajuda. Mereço mais."

"Eu sei."

"Você tem alguém?"

Ela piscou os olhos, surpresa.

"Um namorado, um noivo...?", ele continuou. "Nunca falamos sobre esse assunto."

"O que isso tem a ver?"

"Você me falou que foi ameaçada... E, desculpa dizer, mas você parece do tipo que se interessa pelo cara errado."

Mas sou do tipo que não se interessa por ninguém, Victoria pensou, enquanto o sorriso de Georges invadia sua mente, contrariando-a.

Arroz pareceu ler algo em sua expressão.

"Quem é?"

"Por favor, vamos falar de outra coisa."

Ele balançou a cabeça e se afastou na direção da janela.

"Vai montar o telescópio?", Victoria perguntou, incomodada com o silêncio.

"Sabe qual é o problema? Fico olhando pra você e não entendo... Do que você gosta? Como veio parar aqui? Quem é você, Vic?"

"Arroz, eu..."

Ele ergueu as mãos no ar.

"Já sei, sem perguntas. Vou montar o telescópio."

Desviando os olhos, ele prendeu a cabeleira em um coque volumoso e sentou no chão, abrindo a sacola. Victoria se serviu de um copo de leite e se recostou na bancada da cozinha, de braços cruzados. Arroz encaixava as peças e ajustava o foco do telescópio sem falar nada. De vez em quando, ela o flagrava observando-a discretamente, enquanto os dedos ossudos giravam uma roldana ou fixavam o tripé. Depois de quase uma hora, Arroz se levantou e chegou perto dela.

"Está pronto", disse, então pediu um copo de leite também.

Ela o serviu e puxou um banquinho próximo à janela. Inclinou o tronco, pressionando o olho esquerdo contra o telescópio. Recostada próximo a uma saída de esgoto, uma moradora de rua com dois bebês de colo vendia chicletes e balas. Minutos depois, uma senhora baixinha se aproximou para lhe oferecer sopa. Victoria girou a lente, focalizando o posto de gasolina que havia na esquina mais distante. Enxergava até o uniforme dos funcionários.

"Obrigada, vai ajudar."

Ela sorriu para Arroz.

"Eu entendi, não se preocupe." Ele virou o copo em três longas goladas. "Você me enxerga como amigo. Só isso."

Victoria desviou os olhos e levou a mão à boca, arrancando as cutículas com os dentes.

"Tenho que ir pro trabalho, Arroz."

"Eu te acompanho."

Ela suspirou.

"Não se preocupa, Vic", ele disse. "Vou respeitar seu espaço."

Victoria se trancou no quarto para mudar de roupa. Pegou o caderno de Santiago, aberto sobre a cama com as páginas para baixo, e guardou na mochila. No bolso, guardou o canivete suíço, que agora era como um talismã sem o qual não saía. Em poucos minutos, descia as escadas conversando com Arroz. Ao longo do caminho, ele pareceu mais leve, talvez vitorioso por ter conhecido o apartamento dela. Contou histórias sobre dois flagras recentes que fizera com o telescópio em Copacabana: uma mulher com uma serra elétrica amarelo-ovo e um homem chegando de terno em casa, despindo-se diante do espelho ao som de uma música lenta e então se montando com um vestido dourado. Victoria achara as duas histórias divertidas, mas deviam ser invenções dele. Despediram-se na estação Carioca, entre camelôs, bancas de jornal e um pastor evangélico fazendo sua pregação.

No Café Moura, a sensação de montanha-russa aumentou, como se o carrinho tivesse entrado em uma sequência de loopings. Georges estava lá, na mesa de sempre, digitando no computador. Depois do que ela havia feito no dia anterior, esperava que ele buscasse outro lugar para escrever. Ou que a esnobasse de propósito, caso continuasse frequentando o café. Mas Georges não era nada vingativo: o rosto dele se iluminou ao vê-la chegar. Victoria não resistiu e lhe devolveu um sorriso tímido de canto da boca. Teve vontade de se aproximar e pedir desculpas por ter fugido no dia anterior, mas não o fez.

Seu Beli perguntou como ela estava, então contou que havia visitado tia Emília naquela manhã, mas não mencionara nada do que havia ocorrido, como ela pedira. Insistiu que Victoria deveria fazê-lo logo. Ela concordou e subiu para atender as mesas no segundo andar do café. Lá de cima, observava Georges trabalhando. À distância, notou como ele ficava bonito, compenetrado em seu ofício, introspectivo e com uma postura solene.

Victoria trabalhou a tarde inteira, esforçando-se para manter a cabeça vazia. Vez ou outra, dava uma espiada lá embaixo, e seu olhar cruzava com o do escritor. Como num jogo, ela o desviava depressa, ou ele o fazia. Segundos depois, os dois voltavam a se olhar, rindo. Por volta das cinco, seu Beli subiu ao segundo andar e avisou que havia uma ligação para ela no telefone fixo. Victoria ficou surpresa: era raro que alguém ligasse para ela no trabalho. O psiquiatra era um dos poucos que tinham aquele número, então imaginou que fosse ele. Desceu as escadas e, apoiando-se na bancada do caixa, levou o fone ao ouvido.

"Victoria, aqui é o delegado Aquino", disse a voz do outro lado. "Preciso que venha à delegacia o mais rápido possível. O pai de Santiago foi assassinado."

12.

Átila tinha sido encontrado morto naquela manhã. No dia anterior, Bruna, a esposa, e a filha tinham viajado bem cedo para resolver pendências no Rio de Janeiro. Pouco antes do almoço, elas haviam voltado e encontrado Átila no meio da sala, coberto de sangue. Bruna chamara a polícia na mesma hora, enquanto tentava esconder os olhos da filha, que gritava e chorava sem parar.

Com a mochila abraçada ao corpo magro, Victoria escutava o delegado apresentar os fatos. Sua roupa, aquecida pelo sol brutal daquele dia, emanava calor, e o ventilador precário da sala não dava conta de diminuir o desconforto. Uma sensação estranha percorria seu íntimo. Não era medo ou ansiedade, mas uma impotência assustadora. Algo próximo do que os condenados deviam sentir pouco antes da execução.

"Como ele morreu?", ela perguntou, quando o delegado parou de falar.

Aquino levou as mãos às têmporas.

"A facadas", disse, finalmente. "E o rosto dele estava pichado."

"De preto?"

"É."

A vista de Victoria ficou nebulosa. Ela arregalou os olhos, invadida por imagens dolorosas: Valentina com os dedos enrugados brincando na piscina da casa, mordendo o patinho de borracha. Valentina encarando o pai com a garganta aberta e tinta preta escorrendo pelas bochechas. Ela sabia bem como era. Ainda lembrava. Fixou os olhos num ponto distante para se manter desperta.

"Como está a menina?", quis saber.

"Sedada."

Ao acordar no hospital, Victoria ficara perguntando à tia-avó sobre seus pais e seu irmão. Mesmo tendo visto toda a família morta, demorara alguns dias para assimilar a ideia. Talvez o mesmo acontecesse com Valentina.

A culpa foi a primeira a vir à tona no caldeirão de sentimentos que dominava Victoria. De certo modo, ela era responsável pela morte de Átila e pela dor da menina. Sentiu a pressão baixar.

"Vocês se encontraram no domingo, não?", Aquino comentou. "Como foi a conversa?"

Victoria deu de ombros.

"Normal." A palavra soava absurda em voz alta.

"Normal? Ele pareceu incomodado? Talvez ameaçador?"

"Não. Ameaçador, não. Ele me tratou bem."

"E você? Pode ter parecido ameaçadora a ele?"

Victoria não gostou do tom do delegado. Era como se fosse suspeita. Observou atenta o rosto magro e calvo dele, com aspecto fúnebre. Parecia um personagem de filme de terror.

"Por que está me perguntando isso?"

Aquino fez um gesto vago com a mão.

"Só quero saber o que conversaram."

Victoria suava. Não queria mencionar o caderno, porque não queria que a polícia o apreendesse.

"Santiago acreditava que tinha sido abandonado pelo pai após a prisão. E o culpava por isso", ela se esforçou para dizer. "Átila não tinha notícias dele fazia anos."

"Então ele mentiu pra você." Aquino abriu uma pasta bege sobre a mesa e pegou uma folha de dentro dela. "Segundo Bruna informou, na semana passada o correio entregou um pacote para Átila. Era bem pesado e não tinha remetente. Foi ela quem recebeu. Mais tarde, o marido o abriu sozinho no quarto. Ela percebeu que ele ficou estranho na hora. Parecia perturbado pelo conteúdo. A mulher tentou conversar a respeito, mas Átila disse que o problema era só dele e que ia resolver sozinho. Ela preferiu não insistir. Agora há pouco, quando foi pegar uma roupa no armário para o marido ser enterrado, ela encontrou esse bilhete."

Aquino estendeu o papel para Victoria. Como ela não fez menção de pegá-lo, ele o deixou sobre a mesa. A letra perfeita, arredondada, escrita em caixa-alta, era a mesma do caderno. Ela leu movendo os lábios tensos, mas sem emitir som.

VICTORIA VAI TE PROCURAR. ENTREGUE A ELA E TE DEIXO EM PAZ.

O delegado a encarava com uma expressão apática, os olhos meio caídos como se estivesse prestes a mergulhar em um sono profundo. Ela sabia que precisava dizer alguma coisa.

"O que tinha dentro do pacote?", perguntou, mas a voz saiu fraca.

"Não sabemos", Aquino disse. "Bruna só encontrou o bilhete, que deve ter vindo junto. Átila não te entregou nada?"

Victoria fez que não.

"Ele desobedeceu o bilhete e foi assassinado."

"É."

"Mas é estranho que o objeto tenha desaparecido. Se não entregou, o que Átila fez com ele?"

"Jogou fora?"

"E não jogou o bilhete junto?"

"Não tenho todas as respostas, delegado."

"Onde você estava essa madrugada?"

"Em casa", ela disse. *Lendo o diário de Santiago*, completou em pensamento.

"Tinha alguém com você?"

"Não."

"E só saiu para ir ao trabalho?"

"Recebi um amigo de manhã. Por acaso sou suspeita?"

"Não", ele disse, sem parecer convincente. "Claro que não."

"Posso ir embora?"

"Depois do que você me contou... depois do que aconteceu com Átila... o principal suspeito é o próprio Santiago."

"Então ele voltou."

Era horrível dizer aquilo em voz alta. Seus pelos se arrepiaram.

"Talvez seja só o que querem que a gente pense. O que sabemos é que *alguém* está buscando atingir você. Pichando sua parede e tentando te mandar algo pelo Átila." Aquino se inclinou sobre a mesa. "Faz alguma ideia do que essa pessoa pode estar querendo?"

"Pensei que fosse seu trabalho descobrir essas coisas."

Victoria estava esgotada. A sala abafada e o tec-tec torturante do ventilador de teto só pioravam a sensação. Seu ritmo cardíaco acelerou, mas ela se sentia sonolenta. O delegado desceu os óculos para a ponta do nariz e digitou algo no computador. Então deu um clique duplo em um arquivo, passando os olhos em busca de alguma informação.

"Deu um trabalho infernal conseguir o inquérito do caso. Como ele era menor de idade, a coisa é toda sigilosa. Ao completar dezoito, a ficha é zerada. Mas, enquanto relia, me lembrei de algo que estranhei na época. Talvez você possa me ajudar", Aquino disse. "Sabe alguma coisa sobre a relação do seu pai com a irmã mais nova dele?"

"Como assim?"

"Sofia tinha vinte e três anos na época do crime. Tentamos conseguir um depoimento, mas ela morava nos Estados Unidos desde os vinte e um. Trabalhava lá e tinha casado com um americano. Nunca conversamos com ela. Sei que ela mudou para o exterior por causa de uma briga com seu pai. Mas nunca achei que fosse motivo para não colaborar com a polícia. O irmão, a cunhada e o sobrinho dela tinham sido assassinados. E ainda tinha você, viva. Ela nunca te procurou?"

Victoria empalideceu. Não fazia a menor ideia de quem era Sofia.

"Nunca a conheci", disse, tomada por um sentimento de urgência. "E preciso ir."

Ela se apoiou na mesa para ficar de pé. As pernas fraquejaram, mas Victoria conseguiu sair da sala. Subitamente, não se sentia no controle da própria respiração, dos próprios movimentos. Tudo se acumulava: a parede pichada, a morte de Átila. E agora... Sofia! Como nunca soubera da existência da tia? De que briga o delegado estava falando?

Olhou para as mãos envolvendo com firmeza as alças da mochila. Apoiada no corrimão, desceu aos tropeços os três degraus que levavam à rua. O trânsito de Copacabana a invadiu em cheio: buzinas superdimensionadas, gente de todos os lados, rindo, comendo, falando ao celular. O ar cheirava a esgoto. Seus olhos se encheram d'água e a garganta travou. Sentiu um gosto de remédio no céu da boca. Todo o seu corpo tremia. Ao tentar atravessar a rua, a vista escureceu. Antes de perder a consciência, Victoria sentiu o braço batendo contra o asfalto áspero e quente.

13.

O mundo se reestruturava aos poucos. Primeiro, um cheiro forte de álcool etílico — entorpecente e sedutor. Depois, o som de louça na cozinha, uma torneira ligada, o zumbido do ar-condicionado e a brisa fresca no rosto. Uma textura diferente na nuca e nos braços — plástico frio, em vez do tecido rugoso do sofá com que estava acostumada. Ainda grogue, Victoria concluiu que não estava em casa.

Ergueu-se assustada, respirando fundo e olhando em volta. Estava deitada em um sofá de couro escuro, com a cabeça sobre um travesseiro volumoso, de pena de ganso. Não conhecia aquela sala. Em seu braço, havia um curativo, feito de gaze e esparadrapo. Ela foi dominada por um pavor intenso enquanto tentava recordar seus últimos passos. Não conseguiu. Antes que se levantasse, Georges apareceu, com duas xícaras fumegantes nas mãos.

"Finalmente você acordou", ele disse, com um sorriso. "Café com bastante açúcar."

Georges se sentou no sofá e estendeu uma xícara para ela. Victoria teve que ficar meio de lado para não encostar nele. Envolveu a louça quente com as palmas das mãos, reconfortada pelo calor e pelo cheiro forte de cafeína.

"Não machucou muito", ele disse, olhando para a gaze. "Fica tranquila."

"Como vim parar aqui?", Victoria perguntou, hesitante.

"Vi como ficou quando atendeu a ligação no café e resolvi ir atrás de você."

"Você me seguiu do centro até Copacabana?"

"Te vi pegar um táxi no ponto e entrei no seguinte." Ele baixou os olhos. "Desculpa. Talvez pareça estranho, mas... fiquei preocupado com o que você disse. Sobre precisar se proteger."

Victoria continuou a encará-lo em silêncio. Não sabia o que dizer. Georges se viu forçado a continuar.

"Esperei no saguão da delegacia. Você saiu tão atordoada que nem me viu. Então desmaiou na calçada. Acordou logo depois, muito nervosa. Te dei um calmante e pegamos um táxi. Não lembra?"

Era tudo muito vago, como um caldo borbulhante e pouco espesso. Algumas imagens vieram à mente dela, mas logo se diluíram. Ela já tivera apagões antes, principalmente na época em que se entupia de bebida barata.

"Tive que sair pra comprar gaze", ele continuou. "Quando voltei, você já estava no décimo sono. Não acordou nem enquanto eu fazia o curativo."

Ela passou os olhos pela sala improvisada, sem personalidade, típica de um homem recomeçando a vida sozinho. No canto, havia uma estante simples com livros de não ficção ao lado de uma mesa metálica de trabalho com duas cadeiras de plástico. Ao centro, ficava um abajur pequeno, um tapete puído e um sofá-cama que não parecia nada confortável. Nas janelas, havia cortinas com blecaute.

"Bem-vinda à minha casa", ele disse, deixando sua xícara ao lado da dela no chão.

Aos poucos, a conversa com o delegado voltava à consciência de Victoria. Átila estava morto. Talvez tivesse sido assassinado pelo próprio filho. O pai de Victoria tinha uma irmã mais nova de que ela nunca tinha ouvido falar. Ou só havia se esquecido dela porque era pequena demais na época? Se fosse o caso, o que mais acontecera no passado que seu cérebro — por imaturidade ou autodefesa — havia tratado de apagar? E sua tia-avó? Por que não falava sobre a tal Sofia? Victoria quis ficar de pé, mas decidiu ir devagar e ficou só estudando o rosto de Georges. Ela sempre odiara manter contato visual, mas com ele era diferente. Não havia julgamento, só uma porta aberta.

"Já viu *O fantasma da Ópera*?", ele perguntou, depois de algum tempo.

"Já, por quê?"

"A sua cara. É como Christine acordando nas catacumbas do teatro, no esconderijo dele."

Victoria ergueu a sobrancelha, irônica.

"E o que você esconde por trás da sua máscara?", ela provocou. "Um rosto queimado?"

"Não sei se quero ser o fantasma, na verdade. Ele não termina com a Christine."

Victoria desviou o rosto, envergonhada. Observou o corredor e tentou supor as dimensões do apartamento de acordo com sua extensão. Parecia haver dois ou três quartos. Ela não fazia ideia de em qual parte da cidade estava.

"Tenho que ser honesto com você", Georges disse. "Quando você desmaiou, tive que mexer na mochila para buscar seu celular e tentar ligar para alguém."

"E...?"

"Encontrei um caderno lá dentro. Achei que fosse seu, então vi o nome. Santiago é o menino que matou sua família, eu sei. E saiu nos jornais que o pai dele foi assassinado. Por que você está andando com isso, Vic?"

Ela ficou chocada.

"Você leu o caderno?"

Ele se ajeitou no sofá, desconfortável.

"Dei uma folheada", confessou.

"Não devia ter feito isso. Não é da sua conta."

Victoria queria ir embora. Ainda deitada, levou a mão ao bolso e percebeu que o canivete não estava ali. Nervosa, fez menção de levantar. Como se lesse seus pensamentos, Georges pegou algo na mesa de centro. Ela logo reconheceu o canivete nas mãos dele.

"Isso é meu", disse.

Georges estendeu o canivete para ela, que o pegou na mesma hora, erguendo o tronco.

"Ainda não entendi direito no que você se meteu, mas parece perigoso", ele disse, inclinando-se para segurar os ombros dela. "Quero ajudar."

"Não precisa."

Victoria se esquivou dele e girou o corpo, tomando impulso.

"Me escuta", Georges insistiu. "Não é um canivete que vai te proteger."

"Se não me deixar ir, vou te machucar."

Ele ergueu os braços, em sinal de rendição. Afastou-se para a porta e a destrancou.

"Pode ir embora, se quiser", disse. "Mas queria que me escutasse antes."

Victoria não queria escutar nada. Girou o corpo e sentou, apoiando os pés no chão. No mesmo instante, sentiu o piso frio. Quando olhou para baixo, confirmou que estava descalça. Despontando da calça jeans, ao lado do pé direito com as unhas curtas e sem esmalte, viu o pé mecânico, bege, com ranhuras ridículas simulando dedos.

"Tirei seu tênis pra você ficar mais confortável", Georges disse.

Ela manteve a cabeça baixa, dominada por um misto de vontade de chorar, gritar e beber.

"Eu já sabia", Georges disse. "Percebi algo diferente no jeito como andava pelo salão do café. Depois do nosso encontro, fiz algumas pesquisas. Encontrei um jornal da época dizendo que você tinha sido submetida a uma cirurgia. Investiguei e descobri sobre a remoção da perna esquerda. Isso só aumentou minha admiração por você. Fiquei pensando na mulher incrível que é. Com tudo o que aconteceu, e aí está você, firme, forte... e linda."

Victoria se sentia exposta. Envolveu o corpo com os braços e ficou cutucando o curativo com o indicador.

"Não precisa ter vergonha", Georges continuou, se aproximando dela. Ele se sentou no chão, com as pernas cruzadas, e ergueu a cabeça. "A verdade é que eu sempre me achei muito infeliz, injustiçado pela vida. Tive depressão na adolescência. Mas nada... nada se compara ao que você passou. Depois que te conheci, fiquei pensando como era vergonhoso eu me fechar para o mundo, reclamar das dificuldades, da traição da minha ex... Você me tornou uma pessoa melhor, Vic. E é só isso que a gente pode querer, não acha? Alguém que nos torne melhores."

Victoria fechou os olhos, deixando que uma lágrima escorresse pelo rosto. Não estava pronta para aquilo, muito menos naquele momento. Como podia se interessar por alguém numa situação tão absurda? Era errado. Quis explicar a ele, mas as palavras não saíram.

"Não vou ser dramático a ponto de dizer que não vou suportar se me ignorar", ele continuou. "Mais do que ninguém, você sabe que a gente é capaz de suportar qualquer coisa e se reinventar. Mas gosto muito de você. Sinto que confiou em mim. Me contou da sua vida. E me mostrou uma nova maneira de encarar os problemas. A perna mecânica não é sua fraqueza, é sua força."

Ele estendeu os braços e ergueu o pé esquerdo dela, sentando no sofá e apoiando a perna mecânica em seu colo. Então subiu a barra da calça, revelando a estrutura completa, com as conexões aerodinâmicas e o enchimento da panturrilha. Antes que Victoria recuasse, Georges aproximou o rosto e beijou o pé de plástico. Sorriu para ela e depois voltou a atenção à perna, subindo o rosto lentamente enquanto dava vários beijinhos, como se ela pudesse sentir o contato de sua boca.

Victoria continuou imóvel, sem saber como reagir. Havia um peso enorme em suas costas, o estresse de tudo o que vinha acontecendo, mas fazia tanto tempo que ninguém cuidava dela. Georges conhecia seu segredo, algo que quase ninguém sabia. E, no fim das contas, não parecia tão ruim... Quando os beijos de Georges chegaram acima do joelho, ela sentiu o toque através do jeans, a sutil pressão da boca e o desenho molhado deixado pelos lábios.

Ele escorregou para mais perto e, sem dizer nada, a abraçou. Victoria percebeu a respiração agitada em sua nuca e o coração dele batendo forte. Uma tensão elétrica percorreu todo o seu corpo. Georges virou o rosto e aproximou sua boca da dela. Victoria queria muito beijá-lo, mas nunca tinha feito aquilo.

"Eu...", ela tentou dizer.

Georges a puxou para si, encarando-a de perto.

"Quero você, Vic."

Suas bocas se tocaram, primeiro de leve, depois calorosamente, embaçando os óculos dela. Victoria não sabia direito o que estava fazendo, mas ele a envolveu, apoiando em seguida a mão direita de modo delicado em seu rosto. Então levou a boca ao ouvido dela e repetiu que a queria, depois deu beijinhos em seu pescoço e voltou à sua boca, com mais vigor.

"Calma", ela disse, afastando-o de leve.

Foi só quando soltou todo o ar dos pulmões que Victoria se deu conta de que estava prendendo a respiração. Menos de um minuto havia se passado, mas pareciam horas. Os dois se encararam em silêncio. Quando ele se aproximou para um novo beijo, ela ficou de pé, ainda sentindo um formigamento nos lábios. Desviou os olhos de Georges e percebeu o caderno de Santiago sobre a mesa de centro. Guardou-o na mochila e passou a mão no rosto, recuperando o fôlego aos poucos.

"Desculpa... Eu não queria te deixar desconfortável", ele disse.

"Tenho que ir para casa."

Victoria se recostou na parede para calçar os sapatos e ajeitar os cabelos, evitando olhar para ele. Algo novo e potente se passava em seu interior, mas ela ainda não sabia o que era e preferia não demonstrar nenhuma emoção. Também sentia uma espécie de dormência em diversas partes do corpo, principalmente onde ele a tinha beijado e abraçado.

"Te vejo de novo?", Georges perguntou.

Espero que sim, ela pensou, mas só conseguiu dizer:

"Não sei."

"Podemos ir ao cinema amanhã."

Victoria bateu a porta e esperou o elevador chegar ao sétimo andar. O prédio tinha um corredor enorme, com dezenas de apartamentos por andar. Na portaria, encontrou o botão para abrir a porta e, respirando o ar abafado da rua mergulhada na noite, acessou o mapa do celular para saber onde estava. Georges morava entre o Catete e a Glória. Ele tinha dito aquilo no primeiro encontro, mas Victoria havia se esquecido. Ela pediu um táxi pelo aplicativo e em poucos minutos estava em casa. Deixou o canivete sobre a pia e se despiu encarando o espelho. Sua aparência era tenebrosa, com a pele branca maculada pelo curativo, os cabelos desgrenhados e os olhos encavados.

Tomou um banho longo, pensando no que tinha acontecido e no absurdo de dar seu primeiro beijo em meio àquele furacão, mas a imagem de Georges, com seu rosto simples, seu cheiro de café doce e seu olhar sincero ao falar sobre a perna mecânica, voltava para acalmar o nervosismo. Não adiantava ficar se torturando. Aquele tipo de coisa não se escolhia, ela concluiu enquanto se enxugava. Vestiu o pijama, invadida por uma alegria rara. Deitou e fechou os olhos, mas não conseguiu dormir de imediato. Era assim se apaixonar? Um calor que vinha não sabia de onde, a cabeça zonza com os pensamentos e o coração descontrolado? *Quero você, Vic*. Ela nunca tinha escutado aquilo antes. De repente, todos os problemas pareciam menores... Talvez a vida não fosse tão ruim. Talvez ela pudesse ser feliz.

Romper barreiras, trocar carinhos, avançar na intimidade, mas sem parecer grosseiro — é esse *o complexo jogo que* Victoria *tem travado comigo. Duas casas adiante, então um retrocesso, depois mais um avanço, e mais um retrocesso. Agora estamos melhores do que nunca. Tudo tem seguido como o previsto. Ela foi ao delegado e está lendo o diário. Pouco a pouco, se abre comigo, confia em mim, se entrega. Infelizmente, ainda tem coisas que esconde, que prefere guardar para si. Eu entendo. É esse íntimo — esse núcleo inescrutável — que quero acessar. E, quando conseguir, ela vai entender tudo. Seremos só nós dois. E mais ninguém.*

14.

Victoria chegou à casa de repouso pouco depois das dez e meia. Tia Emília já estava de banho tomado e fazia caça-palavras recostada na cama. Havia um crucifixo de bronze preso à parede logo acima de sua cabeça. Parada na soleira, Victoria observou a tia-avó por um minuto, enquanto tentava acalmar a angústia. Não era fácil. Tinha acordado tarde, após uma noite de sono perfeita em que recuperara suas energias. As três mensagens enviadas por Georges — um bom-dia com coraçõezinhos, além de sugestões de filmes para verem à tarde — a deixaram de bom humor, mas logo depois ela se dera conta de que era quarta-feira. Não adiantava adiar o confronto ou ficar protegendo tia Emília. Havia coisas demais vindo à tona. Ela precisava estar preparada e alerta.

Entrou no quarto e deixou a mochila de lado. Beijou a testa da tia-avó e abriu um sorriso para ela, ganhando tempo. Estava abafado ali, mas tia Emília parecia não se importar.

"Não consigo achar a palavra 'sombra'", ela disse, chateada. "Está me deixando louca."

Victoria se sentou na cama, próximo à cabeceira, e observou a página amarelada com o diagrama de letras e os traçados pouco firmes feitos à caneta vermelha. Tia Emília levantou o rosto, fez o sinal da cruz na sobrinha-neta e depois acariciou sua bochecha.

"Esse batom fica muito bem em você, minha filha", ela observou. "Quando vai me apresentar seu novo amigo?"

Victoria ruborizou. Havia visto um tutorial no YouTube que ensinava a fazer maquiagens simples e rápidas. Comprara na farmácia um hidratante facial com cor para esconder as olheiras e um batom discreto para ressaltar a boca. Não pensou que tia Emília fosse reparar.

"Você está parecendo sua mãe", ela disse, com um sorriso. "Os cabelos compridos, o brilho nos olhos..."

Victoria tinha pensado a mesma coisa ao se olhar no espelho naquela manhã. Mas, pela primeira vez, não se achara uma versão piorada dela. E decidira sair sem o lacinho nos cabelos.

"Encontrei com ele outro dia", Victoria disse, como quem apresenta um dado objetivo.

"Que bom! Que bom, minha filha. E vão sair de novo?"

Victoria não queria deixar que a tia conduzisse a conversa. Havia ensaiado tudo o que precisava falar.

"Tia Emília, aconteceram algumas coisas na última semana..."

"Que coisas?"

Victoria foi direto ao ponto:

"Quem é Sofia?"

Tia Emília abriu a boca por um instante. Então fechou o rosto, sacudindo a cabeça e apertando a caneta vermelha nos dedos enrugados.

"Não sei do que você está falando."

"Da irmã do meu pai."

"Que história é essa agora?", ela perguntou em um tom rude, até então inédito.

“Por que eu nunca soube que meu pai tinha uma irmã?”

Tia Emília a encarou sem dizer nada.

“Me conta”, Victoria insistiu. “Preciso saber.”

“Quando meu irmão ficou viúvo, ele ainda era muito jovem... Ou achava isso, pelo menos. Tinha cinquenta e cinco anos. Seu pai tinha acabado de conseguir o primeiro emprego e saído de casa. Então, meu irmão começou a sair com... prostitutas... Um dia, engravidou uma. Ele fez o teste, claro, e era mesmo filha dele. Uma filha temporã. A mulher não queria cuidar da criança. Então seu avô decidiu que Sofia ficaria com ele.”

Victoria podia imaginar como tia Emília havia reagido à notícia da gravidez. Muito religiosa, tinha noções rígidas de família e de certo e errado.

“Como meu pai lidou com a ideia de ganhar uma irmã de repente?”

“Ele ficou feliz. Na época, tinha vinte e poucos anos e já morava sozinho. Dava aulas em cursinhos e tinha vontade de abrir uma escola”, ela disse. “No fundo, não fez muita diferença para ele. Às vezes, ele até ajudava, ficando com a bebê nos fins de semana e coisas assim. Mais tarde, aos trinta e poucos, Mauro abriu a Ícone e conheceu sua mãe, que tinha sido contratada como professora de matemática. Eles se apaixonaram. Antes, Mauro era mais focado na carreira.”

Victoria já havia escutado aquela história centenas de vezes. Tia Emília estava desviando do assunto.

“E a senhora? O que achava da Sofia?”

“É claro que fiquei chocada na época. Decepcionada também. Era uma pouca-vergonha... Mas, quando vi a menina, me derreti toda. Era uma bebê linda. Chorona e indefesa...” Tia Emília pensou um instante e acrescentou: “Só quando ela cresceu é que foi revelando sua genética”.

“Como assim?”

"Sofia não tinha boa índole. Não era como a gente. Era como se quisesse punir seu pai por ser o filho *legítimo*."

"E meu avô não fazia nada?"

"Imagina ser pai solteiro quando já se está na idade de ser avô... Ele comeu o pão que o diabo amassou. Quando meu irmão enfartou, Sofia tinha onze anos."

"E aí ela foi morar com meu pai?"

"Isso, em 86. Foi um período muito difícil. Ele e Sandra tinham se conhecido um ano antes e já estavam morando juntos. É claro que a mudança da Sofia mexeu um pouco com a rotina de todo mundo, mas nada grave. Eu também ajudava na medida do possível."

"Minha mãe se dava bem com Sofia?"

"Sandra era professora primária, sempre foi habilidosa com crianças. Sofia era uma peste, quebrava coisas pela casa, arrumava briga na escola, se escondia por horas e fazia todo mundo procurar por ela... Com o tempo Sandra conseguiu colocar a menina mais ou menos nos trilhos. Mas Sofia estava sempre insatisfeita. Acho que ela nunca se sentiu parte da família de verdade. Era desdenhosa, rebelde. Essa é a palavra, rebelde. Uma vez me chamou de 'megera desgraçada' porque não dei uma bicicleta pra ela. Isso com doze anos!"

Victoria sorriu. Era típico da tia-avó guardar um rancor bobo como aquele.

"Quando meu irmão nasceu a Sofia ainda morava com meus pais?"

"Isso."

"Quando ela foi embora?"

"Não lembro direito. Tinha uns vinte e poucos."

Victoria tentava estabelecer uma cronologia, mas era difícil. Eric havia nascido em 1988, quando Sofia tinha treze. Então ela saíra de casa em 95 ou 96, quando Victoria tinha só um ou dois anos.

"E o que aconteceu?"

"Como assim?"

"Ela foi para os Estados Unidos de repente?"

Victoria logo percebeu o deslize. O rosto de tia Emília ficou branco.

"Como sabe dos Estados Unidos? Não vai me dizer que aquela infeliz entrou em contato com você..."

"Me responde, tia."

"Não quero falar mais nada."

"Por favor", Victoria disse, inclinando o corpo e pegando as mãos de tia Emília nas suas, toda carinhosa. "Me diz. Por que a Sofia foi para os Estados Unidos?"

"Não sei. Ela só foi."

Era evidente que tia Emília estava mentindo.

"E nunca mais te procurou? Você era tia dela!"

"Sofia nunca teve uma ligação com a família." Havia uma raiva contida em sua voz. "Tem gente que é assim, desgarrada, sem sentimento. Nem todo mundo é bom, minha filha."

"E quando a morte dos meus pais e do meu irmão saiu nos jornais, por que ela não *me* procurou?"

"Nem sei se ela soube..."

"Você tem algum contato dela? O sobrenome do americano com quem casou?"

"Não tenho nada", tia Emília respondeu, de má vontade. "Não entendo seu interesse nessa garota."

"Essa garota é sua sobrinha... É minha tia. Quero falar com ela."

"Falar o que, meu Deus?"

"Acho estranho ela nunca mais ter aparecido."

"Sofia era uma perdida na vida. Terminou os estudos na

Ícone, mas não queria prestar vestibular. Era preguiçosa e acomodada. Mauro resolveu dar uma chance para ela na escola e a colocou pra trabalhar como inspetora. Sofia ajudava a cuidar dos alunos. Isso durou dois ou três anos. Até que ela arrumou problema e seu pai teve que pôr a própria irmã na rua. Aí, ela foi embora."

"Que problema?"

"Estou cansada de mal-entendidos, culpa e rancor. Já sofri muito com minha própria sobrinha me virando as costas. Tentei fazer tudo certo, juro que tentei. Mas ela fez a escolha dela." Tia Emília começou a chorar. "Minha filha, por favor, vamos mudar de assunto?"

Victoria não respondeu. Talvez o dr. Max estivesse certo em dizer que ela se alternava entre criança mimada e mulher madura. Só que a adulta estava ganhando força, e tia Emília tinha dificuldade em aceitar que ela não era mais a garotinha que escutava e obedecia em silêncio.

"Promete que vai esquecer Sofia?", a tia-avó perguntou, como se lesse seus pensamentos.

"Não."

"Só penso no seu bem."

"Por favor, tia..."

"Sofia fugiu de todos nós. Não faz sentido ir atrás daquela ingrata. Ela só vai abusar de você, sugar tudo o que puder oferecer e então te jogar fora. Foi assim que fez com meu irmão, depois com seu pai e com sua mãe... É uma pessoa má, mentirosa, filha de uma prostituta... Por que quer saber de alguém assim? Você está me decepcionando, Victoria."

Tia Emília a encarou por mais um segundo, com a boca retesada e a expressão severa. Então baixou os olhos, abriu a revistinha e segurou a caneta na mão trêmula. Sem falar mais nada, voltou a caçar palavras.

15.

O cinema com Georges à tarde acabou sendo agradável — Victoria assistiu ao filme de mãos dadas com ele e não se sentiu incomodada. Em alguns momentos, quando o volume da música aumentava ou a cena se arrastava, ele se inclinava um pouco de lado e falava algo em seu ouvido ou beijava sua bochecha. Victoria aceitava a princípio, mas logo virava o rosto e murmurava: "Vamos ver o filme". Não queria atrapalhar as outras pessoas na sala escura. Comeram pizza em um restaurante pequeno, numa ladeira de Santa Tereza, enquanto conversavam sobre o filme e sobre o que fariam no fim de semana. Sim, ela queria encontrá-lo no fim de semana. Tudo era muito novo, mas Victoria preferia a companhia dele a ficar em casa ansiosa, pensando no que Santiago estaria planejando. Ela tinha a impressão frequente de que estava sendo observada, mas o canivete no bolso e o telescópio na janela a deixavam um pouco mais segura.

Na sexta, eles foram a uma exposição de um pintor inglês no CCBB e, no sábado, a uma peça de teatro chamada *Ensina-me a viver*, sobre um jovem depressivo que vivia pensando em suicídio e então começava a sair com uma senhora de oitenta anos bastante alegre e excêntrica. Em geral, Victoria não tinha paciência para histórias românticas, mas achou aquela bem bonita. Ficou pensando que os casais precisavam mesmo ser complementares: a ideia de se juntar a alguém parecido não fazia o menor sentido para ela. Victoria sentia que ela e Georges eram uma espécie de soma contraditória: ele era leve, despreocupado e romântico (vivia dizendo que ela era linda e inteligente), enquanto ela era mais contida, silenciosa e misteriosa, de acordo com ele. O segundo beijo na boca acabou vindo naturalmente, e daquela vez Victoria não recuou. Achou gostoso até.

Na semana seguinte, em um jantar, ele comentou que ela parecia tensa e preocupada, Victoria pediu desculpas e contou o que estava acontecendo. Não se ateve à pichação na parede e ao diário de Santiago, falando também sobre Sofia. Só não conseguiu contar de seu histórico de alcoolismo, mas pretendia fazê-lo no futuro. Não queria estabelecer uma relação baseada em segredos, pois sabia muito bem como machucavam. Ela mesma não tinha mais visitado tia Emília por causa da briga das duas. Georges escutou tudo com atenção e prometeu ajudá-la no que fosse possível, mas Victoria não queria preocupá-lo com aquilo. Ele a fazia se sentir bem e esquecer os problemas, pelo menos quando estavam juntos. Foi o que ela lhe disse enquanto passeavam na orla da praia. Então Georges a enlaçou, beijou sua cabeça e disse: "Finalmente, uma ínfima declaração de amor para este pobre escritor". Victoria sorriu. Adorava as gracinhas dele.

Georges buscou ele próprio informações sobre Sofia, mas não conseguiu nada. Victoria também passou um bom tempo atrás dela na internet. Havia encontrado cinco Sofia Bravo — entre perfis em redes sociais, menções em artigos acadêmicos e notícias —, mas nenhuma delas parecia a certa: a idade de três não batia e as outras duas moravam no Brasil (uma em Salvador, outra em Brasília) e eram casadas com brasileiros. Era provável que Sofia usasse o sobrenome do marido americano, que ela não sabia qual era. Certa noite, Victoria se lembrou das duas caixas de papelão guardadas debaixo de sua cama e resolveu investigá-las. Além de alguns objetos de infância (paninhos, chupetas e bonecas antigas), encontrou ali recordações dos pais, álbuns de família e documentos em geral. Algumas fotos eram anteriores ao nascimento dela, como uma de Eric bebê e outra do casamento dos pais. Depois de algumas horas de busca, sentiu-se frustrada. Sofia não aparecia em nenhum lugar. Era como um fantasma.

No final do mês, Aquino voltou a ligar para Victoria. O caso Átila não havia evoluído. Não tinham nenhuma pista, ninguém vira nada de estranho nas redondezas. Era como se o assassino tivesse evaporado. Ela tentou conseguir o contato de Sofia com o delegado ou pelo menos o sobrenome do marido dela, mas ele não sabia. Victoria adoraria esquecer aquela história, mas não era tão simples. Por mais que tentasse relaxar, havia uma sombra, uma ameaça discreta, mas sempre presente. Onde estava Santiago? Por que ele tinha pichado a parede, matado o próprio pai e desaparecido? O que queria com ela? A sensação era de que algo muito ruim aconteceria a qualquer momento e daria um fim à felicidade recém-descoberta.

Nas sessões com o psiquiatra, ela contou que voltara a falar com o delegado após a morte de Átila e finalmente confessou sobre o diário de Santiago. Por último, mencionou a descoberta de Sofia.

"É um incômodo natural", ele disse. "Ser surpreendida pela existência de uma parente tão próxima..."

"Quero encontrar essa mulher."

"Por quê?"

"Sofia trabalhava na Ícone na época que Santiago estudou lá", Victoria disse. "E acho estranho ela nunca ter me procurado e tia Emília não ter me falado sobre ela."

O psiquiatra comentou sua postura firme, algo novo até então. Perguntou se algo havia acontecido para motivar sua disposição. Victoria hesitou, mas revelou que vinha se encontrando com Georges. Já haviam se passado três semanas desde o primeiro beijo. Ela percebeu que o psiquiatra não gostou que tivesse demorado tanto para falar a respeito. Ele mencionou a confiança que haviam estabelecido ao longo dos anos e enfatizou que era essencial que continuassem daquele jeito.

"Você só precisa tomar cuidado para não ir de um extremo a outro", o dr. Max disse. "O excesso de amor é tão perigoso quanto a falta."

Victoria entendia o temor dele, mas não via razão para alarde. Era verdade que em pouco tempo Georges havia se tornado muito importante para ela. Victoria havia se acostumado com ele, ao seu olhar quente, à textura de sua pele com pintas nos ombros e ao seu perfume. Mas tomava cuidado para não se colocar em risco. Fazia questão de que as coisas avançassem com calma, e ele a respeitava: passara a acompanhá-la até em casa, mas não insistia em subir. Quando Georges tentou levá-la para a cama numa noite em que bebera um pouco demais, ele recuou assim que ela disse que não estava pronta.

"Você é virgem?", Georges perguntou, mas não em um tom grosseiro.

Victoria teve vergonha. Sentia-se mal por ser virgem naquela idade, mas preferia não mentir. Fez que sim com a cabeça, temendo que ele ficasse decepcionado e desaparecesse. Mas não foi o que aconteceu. Georges ligou no dia seguinte:

"Vamos fazer tudo no seu tempo."

Victoria gostou muito de ouvir aquilo. Juntos, criaram uma brincadeira: a cada encontro, experimentavam coisas novas e registravam tudo com uma câmera imaginária (assim como ela, Georges odiava fotos). Naqueles dias, fizeram um piquenique no Alto da Boa Vista, dançaram juntos, foram ao Teatro Municipal, tudo pela primeira vez. Então conheceram a feira do Lavradio, a poucas quadras do prédio dela. Passaram a tarde caminhando pela rua cheia, observando as antiguidades e as peças de roupa à venda. Georges ficou meia hora escolhendo discos de vinil em uma barraca, enquanto Victoria tomava um suco e observava o movimento.

Almoçaram em um restaurante ali perto, onde um grupo de chorinho se apresentava. No fim da tarde, ele a acompanhou até seu prédio, na rua Riachuelo. Ao dobrar a esquina, Victoria viu Arroz próximo ao portão, com uma mochila nas costas e o rosto enfiado em um livro grosso. Ela continuou a conversar com Georges enquanto pensava no que fazer, tentando disfarçar o nervosismo. Era impossível dar meia-volta.

Estavam a poucos metros de Arroz quando ele levantou os olhos e reparou nela. Ao perceber que Victoria estava de mãos dadas com outro homem, o sorriso dele se dissolveu em uma expressão de desgosto. Arroz desencostou da parede e foi até o casal, olhando apenas para Victoria, como se Georges não existisse.

"Você prometeu que não ia sumir de novo e sumiu", ele disse, fechando o exemplar de *A dança dos dragões* e guardando-o debaixo do braço. "Faz quase um mês que a gente não se fala, Vic."

Ela engoliu em seco, constrangida. *Não sumi, só estou vivendo*, quis responder. Encarou Arroz com um misto de carinho e piedade. Ele era um bom amigo, e nada mais. Não conseguia vê-lo de outro modo. Naquele momento, era como se eles não tivessem mais assunto.

"Te liguei três vezes", Arroz insistiu, como uma criança magoada. "Finalmente consegui o que me pediu."

Georges deu um passo à frente e estendeu a mão.

"A gente ainda não se conhece", ele disse. "Sou o namorado da Vic, Georges."

Arroz o cumprimentou no automático, piscando repetidas vezes à espera de uma confirmação dela.

"Você deve ser o Arroz", ele continuou.

Um silêncio constrangedor se fez. Embora muito mais alto, Arroz parecia mais frágil, com os ossos pontiagudos e a pele fina que o deixavam com um aspecto cadavérico.

"Não tenho muito tempo, Vic", Arroz disse. "Vamos instalar as câmeras?"

"Câmeras? Que câmeras?"

"Assunto nosso." Arroz deu um meio sorriso e se dirigiu a Victoria. "Vamos subir?"

Ela concordou com a cabeça e olhou para Georges, suando frio.

"A gente conversa amanhã."

Queria dizer que tinha amado o dia com ele, mas a presença de Arroz a inibiu.

"Quer que eu suba com você?", Georges perguntou.

"Não precisa", Arroz se adiantou, parecendo louco para começar uma briga. "A gente já se conhece há bastante tempo, amigo."

Georges lançou um olhar breve mas fulminante a ele antes de se voltar para ela.

"Quer?"

"Não precisa."

Victoria fez um carinho rápido nas mãos dele e tentou sorrir. Quando Georges se inclinou para beijá-la, ela virou o rosto sutilmente, oferecendo a bochecha. Logo depois, percebeu certa decepção no olhar dele.

"Te ligo mais tarde", ela disse, tentando soar natural.

Georges concordou com um gesto lento de cabeça e se afastou sem dizer mais nada. Arroz sorriu para ela.

"Deu um trabalho enorme conseguir as câmeras. O que eu não faço por você, hein?"

Nas horas seguintes, ele mexeu na fiação do apartamento e conectou as duas câmeras que havia levado: a primeira na sala, em um ângulo que enquadrava a entrada, o sofá e parte da bancada da cozinha. A segunda, num canto alto próximo ao armário, enquadrando a cama e a porta do quarto. Ele também instalou um alarme, ligado ao trinco da entrada principal. Se o assassino voltasse e tentasse arrombar a porta, o barulho ensurdecedor chamaria a atenção da vizinhança. Antes de ir embora, Arroz ainda instalou um aplicativo no celular dela e a ensinou a acessar as câmeras pelo celular. A imagem era de ótima qualidade, mas em preto e branco e sem som.

"Dá pra acompanhar em tempo real", ele explicou. "E as últimas doze horas ficam gravadas, caso você queira procurar alguma coisa."

Victoria agradeceu e pediu desculpas pelo sumiço. Ainda estava chateada com o jeito como ele havia tratado Georges, mas preferiu não entrar no assunto. Arroz arrumou suas coisas e jogou a mochila nas costas.

"Aquele é o cara que estava te ameaçando?", ele perguntou, já de saída.

Ela ficou horrorizada.

"Não, claro que não."

"Há quanto tempo vocês estão juntos?"

"Arroz..."

"Você está feliz?"

Ela suspirou:

"Estou."

Ele ficou em silêncio. Girou a maçaneta e seguiu cabisbaixo até o final do corredor. Já começava a descer o lance de escada quando disse, fora do campo de visão dela:

"Se cuida."

Só então Victoria conseguiu relaxar de verdade. Tirou a roupa e pegou Abu no armário, onde o havia escondido. Deitou na cama abraçada ao ursinho e ligou para Georges. Ele não atendeu, o que a deixou receosa. Teria ficado chateado a ponto de não querer falar com ela? Foi invadida por uma tristeza estranha. Cinco minutos depois, Georges retornou a ligação dizendo que estava no banho.

Ela pediu desculpas pela atitude infantil de Arroz e garantiu que ele era apenas um amigo ciumento. Georges disse que ela não precisava se preocupar e quis saber das câmeras. Victoria explicou tudo e, para mostrar quanto gostava dele, insistiu para que almoçassem juntos no dia seguinte. Georges se fez de difícil, mas acabou aceitando. Combinaram para o meio-dia em um restaurante árabe do largo do Machado.

Depois de desligar, ela ficou na cama olhando as câmeras pelo celular: os móveis da sala mergulhados no breu, a porta com diversos trincos mais parecendo de uma cela de prisão e sua própria sombra debaixo das cobertas, com a tela brilhante iluminando apenas seu rosto. No escuro e no silêncio, Sofia voltou aos seus pensamentos. A princípio, ela não tinha nada a ver com Santiago, mas Victoria não conseguia deixar de pensar que as duas histórias estavam conectadas de algum modo. Era muito estranho que Sofia não tivesse aparecido depois do assassinato brutal da família. Do que estaria fugindo?

Sentada a uma das mesinhas da Rotisseria Sírio-Libanesa, Victoria olhou o relógio. Meio-dia e vinte. Teria Georges se esquecido do almoço? Ele costumava se atrasar, só que nunca mais de dez minutos. Quando ela já cogitava ligar, viu Georges se aproximar com um sorriso constrangido. Usava uma camisa chamativa com marcas de suor debaixo dos braços e um chapéu de feltro. Victoria gostava da bagunça sutil na aparência dele. Era uma pessoa que não ligava para as imposições sociais.

"Desculpa, o metrô demorou a passar", ele disse, ofegante.

"Não tem problema. Eu estava esperando."

Georges lhe deu um beijo rápido, que em seguida se transformou em um beijo longo que a deixou sem ar por alguns segundos.

"'Eu estava esperando' é uma maneira educada de dizer 'Você está muito atrasado'?", ele perguntou, irônico.

"Exatamente", ela concordou, e os dois riram.

Eles pediram um quibe cru e miniesfirras de sabores variados para dividir enquanto conversavam.

"De onde vem o nome Georges?"

"É grego. Minha avó paterna veio pra cá fugida da guerra", ele disse. "Significa 'aquele que trabalha na terra'. Nada muito animador..."

"Não combina com você, com essas mãos macias de quem passa o dia digitando e esse chapéu..."

"Estou sendo avaliado?", Georges perguntou, com um meio sorriso. "O chapéu faz com que eu me sinta mais novo. Estou ficando careca. É a crise dos quarenta, acho."

"Quarenta?"

"Tenho trinta e seis. E quatro anos passam voando."

Victoria ficou surpresa. Nunca tinham conversado sobre aquilo, mas pensava que ele tivesse no máximo trinta ou trinta e poucos. Trinta e seis era bastante.

"A diferença de idade te incomoda?"

Incomodava, mas ela não sabia o motivo. Negou depressa e acrescentou:

"Meu pai também era mais velho do que minha mãe. Ele tinha trinta e cinco e ela tinha vinte e três quando se conheceram. Meu pai nunca tinha se apaixonado por nenhuma mulher antes dela."

Georges suspirou antes de dizer:

"Eu também nunca tinha me apaixonado."

"E a artista plástica inglesa?"

"Ela foi só um teste." Ele fez um gesto vago com as mãos: "Eu também estava esperando, Vic".

Ela entrou na brincadeira:

"É uma maneira educada de dizer que estou atrasada?"

"Vamos dizer que você chegou na hora certa..."

Ele colocou a mão sobre a dela, apertando-a de leve. Victoria ficou observando Georges em silêncio antes de perguntar:

"E seus pais? Como eles eram?"

"Meus pais?" Ele pigarreou, pego de surpresa. "Minha mãe era durona. Nasceu no interior e foi fazer faculdade em Belo Horizonte contra a vontade dos pais. O sonho dela era ser neurologista. Foi na faculdade que conheceu meu pai, que era um sujeito bem família. Era o mais velho de cinco irmãos e tinha o mesmo nome do meu avô. Adivinha qual era."

"Georges?"

Os dois caíram na gargalhada.

"Tem toda uma linhagem de Georges", ele confirmou. "Meu pai também fazia medicina e conheceu minha mãe no bandejão. Demorou um tempo pra ela aceitar sair com ele, mas logo ela se apaixonou também. Tipo a gente."

Victoria abriu um sorriso defensivo.

"E eles viveram felizes para sempre?"

"É."

"Os dois ainda moram em Belo Horizonte?"

Georges engoliu em seco, baixando os olhos.

"Eles morreram em 2012. Eu estava na Europa. Minha mãe teve um aneurisma e morreu três dias depois. Voltei pra fazer companhia ao meu pai por um tempo, mas mesmo assim... Ele ficou sozinho demais, tudo o que fazia era com ela, sabe? Não aguentou. Seis meses depois, morreu também. Dormindo." Georges suspirou antes de perguntar: "E seus pais? Como eles eram?"

Victoria se lembrava de poucas coisas dos pais. Depois de tanto tempo, sua imaginação havia tratado de preencher os pontos obscuros, de modo que ela não conseguia separar o que era recordação do que era invenção.

"Meu pai era mais calmo, silencioso, apaixonado pela ideia de ensino. Não à toa, quis abrir uma escola. Já minha mãe era mais extrovertida, temperamental, cheia de rompantes."

"Você parece com ela, então", ele ironizou.

Victoria revirou os olhos.

"Acho que eles se completavam. Ela fazia tudo por ele, e ele fazia tudo por ela."

"Você pensa em casar? Ter filhos?"

Victoria deu de ombros.

"Não sei."

Ela achava que Georges seria um bom pai, daqueles que fazem tudo pelos filhos, mimam de todos os jeitos, carregam no colo para cima e para baixo. Não tinha tanta certeza de que poderia ser uma boa mãe nem de que queria ser uma, então achou melhor mudar de assunto.

Depois do árabe, tomaram café em uma padaria na praça São Salvador e caminharam até o prédio dele, na Glória, passando por um sebo e pelo Museu da República, onde ficaram alguns minutos conversando num dos banquinhos próximo ao lago. Georges a chamou para subir ao apartamento dele, mas ela sabia o que estava implícito no convite e ainda não se sentia pronta, mesmo que soubesse que era com ele que queria dar aquele passo.

Pegou um táxi para a Lapa e chegou rapidamente em casa. Enquanto subia os lances de escada do prédio, ficou se perguntando o que a impedia de ir além com Georges. Algo parecia estar faltando, mas ela não sabia o quê. Havia como que uma ranhura interna, um alarme baixinho no peito que avisava que ainda não era hora. Girou a chave na fechadura e destrancou as tetras. Ao abrir a porta, reparou em um pequeno monte de folhas no chão. Apoiada à parede, inclinou-se para observar a caligrafia mais de perto e percebeu a garganta secar. Santiago havia deixado novas páginas.

16.

DIÁRIO DE SANTIAGO

20 de julho de 1993, terça

Por causa das férias, continuo sem encontrar minha Rapunzel. Passo o dia todo em casa sem fazer nada. Hoje fui pra casa do Igor quando meu pai saiu pra trabalhar. O primo dele, Jean, e o Gabriel já estavam lá. Acho que o Jean joga basquete, ou só estava com uma camisa de time, não sei. Ele meio que me ignorou no início e ficou contando pro primo sobre as garotas que ele namora. São cinco — duas loiras, uma morena, uma negra e uma ruiva. Ele disse que a ruiva é a que fode melhor e ficou rindo. Não vi graça, mas ri também. Daí ele disse que com dezessete anos é muito fácil transar, que todas as garotas dão mole pra você. Quero muito ter dezessete.

Quando a mãe do Igor saiu pro trabalho, o Jean abriu a mochila e mostrou as latas de spray que tinha trazido. É o Jean que compra o spray pro Igor e que ensina tudo pra ele sobre como chegar nas meninas, conversar com elas e tal.

A gente saiu com as latas, mas não foi na direção da pracinha, e sim na do instituto dos índios, onde tem menos gente. Na frente de um muro descascado, perto das pedras no beira-mar, a gente começou a pichar. O Jean ensinou como fazer o traço mais firme, parece que ele é profissional. O Igor não tem o menor talento pra desenho, e o Gabriel é o melhor de todos, mas acho que ele só picha por causa do Igor.

Quando olhei, o Jean estava sentado na pedra, com a mão na boca, acendendo alguma coisa. Ele disse que era maconha, assoprou a fumaça em mim e perguntou se eu queria. Eu não quis, mas o Igor e o Gabriel aceitaram. Eles ficaram nas pedras, conversando baixinho e rindo, passando a maconha um pro outro. Fiquei um pouco mais longe. Meu pai me disse que quando era adolescente um amigo dele morreu de maconha.

No fim da tarde a gente começou a voltar. O Jean subiu em um Corsa vermelho que estava estacionado perto e ficou pulando em cima do carro. Sacudia tanto que parecia que as janelas iam estourar e os pneus iam sair rolando. O Igor subiu no carro junto e começou a pichar o teto e as janelas. O Gabriel pichou uma porta e eu fiz o mesmo do outro lado. A gente riu muito pensando como ia ser engraçado o dono encontrar o carro vermelho todo preto.

Colado no muro do instituto dos índios, tinha um mendigo dormindo na calçada, com umas roupas velhas e uns pedaços de papelão dobrados. O Igor se aproximou na ponta dos pés, esticou o braço e colocou o spray bem no nariz do mendigo. Então apertou e encheu a cara dele de tinta. O mendigo acordou na mesma hora, assustado e gritando. A gente saiu correndo e foi rindo até a casa do Igor. A mãe dele chegou tipo cinco minutos depois. O Jean deu um spray de presente pra cada um.

Ele é legal. Fiquei mais um pouco na casa do Igor e, enquanto a gente lanchava, perguntei se ele não ficava mal de pichar a cara do mendigo. Ele disse que não. Que não tem humilhação maior do que pichar a cara de alguém. E que tem gente que merece ser humilhada.

[...]

26 de julho de 1993, segunda

A primeira coisa que pensei hoje foi que falta só uma semana para as aulas voltarem. Fiquei feliz. A segunda coisa foi que eu tinha que devolver as fitas que aluguei no fim de semana. Na verdade, devia ter devolvido domingo, mas seu Ernesto é legal e sempre me deixa devolver na segunda de manhã. Meu pai diz que ele é hippie. Tomei café, rebobinei as fitas e fui pra locadora, aí fiquei conversando com seu Ernesto. Uma hora, não sei o motivo, pensei que ele também deve tocar punheta. E pensei que meu pai deve tocar também. É engraçado todo mundo viver sabendo que todo mundo toca punheta quando vai no banheiro. Ou será que não é todo mundo? Talvez o padre Heitor não toque.

Quando saí da locadora, vi a Rapunzel do lado de fora de um restaurante, mas tinha muita gente perto e ela nem olhou direito pra mim, só continuou falando, linda, rindo como riu quando a gente estava pertinho. Fiquei chateado de não poder dar um beijo nela na frente de todo mundo. Mas também fiquei feliz só de olhar por uns minutinhos. Falta só uma semana. Uma semana.

[...]

2 de agosto de 1993, segunda

Primeiro dia de aula do segundo semestre. Finalmente! Ficar em casa sem fazer nada é muito chato. Na escola, pelo menos, acontece alguma coisa todo dia. Hoje, na hora do recreio, o Igor tirou da mochila uma *Playboy*. Na capa, tinha uma morena bonita chamada Piera Ranieri, com peitos enormes e uma bunda lisinha, com marca de biquíni. O Igor ia apontando e explicando as partes da mulher. O Jean contou tudo pra ele.

As meninas ficaram chocadas e falaram que iam contar pra professora. A gente ficou rindo, porque é claro que elas não têm coragem. O Igor pegou outra revista da mochila, *Brazil*, e nessa tinha gente transando e tudo, em várias posições diferentes. Ele ficou mostrando onde enfiava, onde colocava a mão, e eu tentando decorar. O cara da revista tinha um pinto enorme.

O Gabriel pediu a revista emprestada pro Igor, mas ele disse que quer levar pro inglês. Parece que ele está namorando uma menina de lá que é dois anos mais velha. Eu sempre falei pro meu pai que queria fazer inglês, mas ele diz que custa caro e que já aprendo na escola.

A volta às aulas foi legal, só não vi a Rapunzel. Será que aconteceu alguma coisa?

[...]

11 de agosto de 1993, quarta

Hoje, a Rapunzel falou comigo. Fui na cantina comprar o croissant de chocolate que eu adoro e na saída ela passou por mim. Fiquei, tipo, sem conseguir respirar. Ela olhou pros dois lados pra garantir que não tinha ninguém, aí chegou perto e disse que ia estar sozinha no sábado e que eu posso ir na casa dela se quiser. Na casa dela! Claro que quero. Quando voltei da escola, meu pai estava no sofá vendo TV e falei que o Igor me chamou pra passar o sábado jogando video game. Ele deixou.

[...]

14 de agosto de 1993, sábado

Depois do almoço, meu pai me deixou na porta da casa do Igor e disse que ia no cinema com uma colega do trabalho, que eu sei que é a nova namorada dele, mesmo que não diga isso. Esperei ele ir embora de carro e dei a volta no quarteirão, andando de cabeça baixa para ninguém me ver. A Rapunzel já estava me esperando na janela da frente. Quando apareci no portão, ela abriu e entrei rapidinho. Já fui logo beijando, mas ela disse para eu ter calma e me chamou de príncipe. Falou que também estava com saudades, mas que eu não precisava ter pressa. Senti cheiro de cigarro na boca dela. Não sabia que ela fumava.

Logo notei que ela estava com medo de alguém chegar. A Rapunzel pegou minha mão e me levou até a garagem coberta, que é mais seguro porque não tem janela nem carro, só umas caixas, coisas velhas e uma luz fraquinha, fraquinha das luminárias no teto. Ela disse que aquele era nosso cantinho e me deu um abraço forte. Meu pinto ficou duro na mesma hora. Foi como se eu todo fosse explodir.

Ela perguntou se eu bebia. Uma vez, num churrasco, eu pedi pro meu pai pra provar cerveja e ele me deu um gole. A Rapunzel pegou duas latinhas de cerveja, abriu uma e tomou vários goles. Então abriu a outra e colocou na minha mão. Tinha um gosto horrível, mas tentei não fazer careta. Ela puxou uma mesa de madeira redonda e sentou nela, cruzando as pernas. A calcinha era meio transparente e dava pra ver tudo.

A Rapunzel ficou conversando comigo, e tentei não falar besteira. Quando a gente já estava na terceira cerveja, ela disse que estava nervosa e que nunca tinha feito aquilo. Antes que fosse embora da garagem, puxei a alça da camisola, que escorregou pelo corpo dela e mostrou tudo o que eu tinha imaginado. Ela é toda lisa e perfeita, bem mais perfeita do que qualquer mulher na *Playboy*. A pele é quente e tem cheiro de morango.

Tirei minha camiseta encharcada de suor. Eu estava com muita vergonha por ainda não ter pelos no sovaco, no pinto ou no peito, mas ela não comentou nada. Rapunzel colocou a mão na minha nuca, puxou minha cabeça e passou a língua no meu pescoço. Retribuí e comecei a morder os peitos dela, duros e perfeitos. Ela mexeu a cabeça com os olhos meio fechados. Arrancou minha bermuda com um puxão e desceu minha cueca.

Quando vi, a boca dela estava no meu pinto, chupando. A língua dela se mexia de um jeito diferente, dando voltas, subindo e descendo. Senti uma coisa quente vindo dentro de mim. Quando a porra saiu do meu pinto, ela lambeu tudo, me olhando com um sorriso lindo. E me chamou de príncipe de novo. Gosto disso. Ela é minha Rapunzel, eu sou o príncipe dela. E temos nosso cantinho. Ela se aproximou e, por mais que eu sentisse um pouco de nojo depois daquilo, começou a me beijar. Já escovei os dentes três vezes e o gosto ainda não saiu. Mas não me arrependo. Foi perfeito. Acho que não vou conseguir dormir essa noite.

17.

Onze e quarenta e três. As horas piscavam na tela do celular de Victoria. Ela rebobinou e assistiu uma dezena de vezes ao vídeo captado pela câmera da sala: às onze e vinte e sete, ela saía do quarto, se servia de um copo d'água, deixava Abu sobre o sofá e apagava as luzes. Batia a porta de casa às onze e meia em ponto para encontrar Georges no restaurante árabe da Galeria Condor. A imagem da sala ficava congelada — como se fosse uma foto — pelos treze minutos seguintes. Às onze e quarenta e três, o maço de papéis era empurrado por baixo da porta num movimento rápido.

Santiago devia ter ficado na rua — talvez escondido dentro de um carro —, esperando que ela saísse para invadir o prédio e deixar as folhas. Depois de lê-las, devorando as palavras como se temesse que se apagassem, Victoria foi confrontada pela horrível certeza de que o pesadelo estava longe de acabar. Mesmo que colocasse muitos trincos na porta, ele sempre daria um jeito de entrar em sua vida. Continuaria a observá-la. Era aquele o significado do gesto, Victoria tinha certeza. Por algum tempo, conseguira sustentar a ilusão de que ele havia desistido e ela poderia viver em paz, mas agora havia acabado.

Victoria foi até a janela, sentou na banqueta e se inclinou para olhar o telescópio. Ajustou o foco no posto de gasolina, onde uma fila de táxis aguardava o fim de um show na rua Mem de Sá. O batuque da música era tão alto que ela podia escutar dali, a duas quadras de distância. Pouco a pouco, foi reduzindo o zoom enquanto esquadrinhava os carros estacionados no meio-fio e as poucas pessoas na rua: dois moradores de rua dormiam debaixo da marquise, alguns garotos fumavam e bebiam numa esquina e um casal discutia em um bar às moscas na outra. Em noites chuvosas como aquela, ainda mais de domingo, a Lapa ficava bem vazia. Um homem dormia dentro de um Vectra, com o banco do motorista recostado. Ela o focalizou — parecia um senhor de idade, com barba branca e óculos de grau pendurados na gola da camisa. Talvez um motorista de Uber tirando alguns minutinhos de descanso. Ela não tinha como saber.

Subitamente, teve a impressão de que estivera procurando no lugar errado o tempo todo. Se Santiago estava tão obcecado por ela, teria alugado um apartamento em algum dos prédios vizinhos, de cuja janela pudesse observar seus movimentos. Fechou um pouco a cortina e percorreu a fachada dos prédios do outro lado da rua com a lente do telescópio. A maioria dos apartamentos estava com a luz apagada àquela hora. Os poucos com a luz acesa tinham as persianas baixadas, de modo que ela não conseguia ver muito. E se Santiago tivesse alugado um apartamento no prédio dela mesmo? Não era tão difícil, afinal. Os moradores mudavam a cada dia, e havia pelo menos umas três ou quatro unidades disponíveis para aluguel. A ideia a deixou com um frio na espinha. Ela escondeu o canivete suíço debaixo do travesseiro.

Como não ia conseguir dormir, resolveu reler o diário de

Santiago desde o início, em busca de algo que tivesse escapado. Em poucos minutos, ficou surpresa ao encontrar uma menção a Sofia em 22 de maio de 1993. *Daí o Igor falou que tocava muita punheta pensando nas professoras, tipo a Sofia, a Sandra e a Ana Luísa*, ele havia escrito. Pelos cálculos dela, naquela época Sofia tinha dezoito anos e trabalhava como inspetora na escola. A frase confirmava sua intuição de que Sofia e Santiago estavam ligados, as histórias se encontravam em algum ponto.

Tomada por um novo fôlego, decidiu reexaminar todo o conteúdo das caixas. Com uma lupa, esquadrinhou cada detalhe das fotos de família em busca de uma criança ou adolescente que pudesse ser Sofia. Não havia mesmo ninguém. Entre os documentos, muita papelada inútil: notas fiscais, folhas de pagamento dos professores, contratos de locação, provas corrigidas, rascunhos de circulares da escola escritas à mão por Mauro, listas de chamada e fichas de inscrição de alunos novos. Leu as datas com cuidado, na esperança de encontrar uma lista da turma de Santiago. Rapunzel talvez estivesse entre as meninas. Infelizmente, nenhum dos anos batia.

Depois de algum tempo, ela encontrou um comprovante de pagamento de 1993 com o logotipo da escola assinado por Sofia Bravo. Não sabia a que se referia, mas aquela era a única evidência física da existência da tia. Victoria continuou a folhear os documentos, mesmo com os olhos pesando de sono. Encontrou o contrato de compra e venda da casa dos pais, assinado por tia Emília, representante legal dela na época, e sentiu um arrepio percorrer seu corpo. Como não tinha reparado? O nome da compradora era Rayane Fagundes Motta. Ela era mencionada no diário de Santiago. Era a garota por quem ele tinha se interessado nos primeiros meses na escola, antes de conhecer Rapunzel. Era uma coincidência aterradora. *A garota por quem Santiago foi apaixonado comprou a casa dos meus pais*, Victoria pensou, engolindo em seco.

Victoria começou a se sentir mal quando o táxi passou na frente do 17º Batalhão da Polícia Militar. O carro reduziu a velocidade nas duas lombadas, e as sutis freadas lhe trouxeram um misto de emoções ruins, fazendo sua determinação escorrer com o suor. Quantas vezes não tinha percorrido aquela mesma rua com os pais e o irmão no caminho para casa? Foram os policiais militares daquele batalhão que atenderam ao chamado de tia Emília quando encontrou os corpos na casa. O rosto de sua mãe pichado de preto, com a garganta aberta à lâmina, voltou à memória com uma força que não tinha fazia anos. Sentada no banco traseiro, Victoria buscou o olhar de Georges, deu a mão a ele e se perguntou pela milésima vez se estava fazendo a coisa certa.

Pela manhã, havia mostrado as novas páginas do diário e contado sobre o contrato de venda da casa. Quando telefonara para o número que aparecia ali, a própria Rayane havia atendido.

"Por que não vem aqui tomar um café?", ela disse depois que Victoria explicou o motivo da ligação.

Victoria não queria voltar à Ilha do Governador, mas era sua chance de descobrir mais informações sobre Santiago e Rapunzel. Ela não visitava o bairro havia anos e temia o que o retorno poderia lhe causar. Além de cólicas intensas, como se giletes rasgassem seu baixo-ventre, ela sentia um formigar intenso na ponta do pé esquerdo — sua intuição lhe dizendo com todas as letras que não deveria estar ali.

Com a cabeça recostada na janela, ficou surpresa em perceber que suas recordações não eram tão diferentes da realidade. O lugar havia parado no tempo. O carro seguia pela estrada do rio Jequiá, com a água calma da baía da Guanabara à sua direita, onde barquinhos de pescadores descansavam. Mais à frente ficava a ACM Rio, toda gradeada, com quadras de tênis, basquete, vôlei e piscinas onde ela fizera natação quando tinha três anos. Eles dobraram à esquerda na rua Maldonado e seguiram até a praça Iaiá Garcia, que fora rodeada por restaurantes, padarias e quiosques depois que o ponto das barcas que levava ao centro do Rio se mudara para aquela área. Antes, o local era mais bucólico, cheio de flores e com alguns poucos estabelecimentos.

O bairro era residencial, e a maioria das casas tinha dois andares, portão baixo e janelas gradeadas, com garagem nos fundos e jardim na frente, exatamente como a dos pais dela. A pintura das fachadas variava do branco ao bege, em geral revestida de caquinhos em tons pastel. O prédio da Ícone era o mais alto da região, com seis andares, e ficava na rua Campo da Ribeira, bem na esquina com a Marechal Ferreira Neto, onde começava a ladeira. Para chegar à antiga casa de Victoria, era inevitável passar pelo cruzamento. Quando se aproximavam, ela cogitou virar o rosto, mas se forçou a continuar de olhos abertos e enfrentar o que fosse preciso.

"Para aqui um instante", pediu ao taxista.

Georges a encarou, surpreso.

"Tem certeza de que quer fazer isso?"

Victoria tinha a impressão de que não conseguiria dar mais do que dois passos para fora, mas não ia desistir. Saiu do carro junto com Georges. As grades da escola tinham sido substituídas por um portão verde, a área do pátio fora transformada em estacionamento e a fachada estava pintada de branco e tinha desenhos em dourado. Alguns fiéis abraçados a Bíblias surradas entravam e saíam da Igreja Universal. Ela se deteve antes de passar pelo portão e apertou o braço de Georges, zonza. A palavra "morto" lhe veio à mente.

Em silêncio, Victoria voltou para o táxi. O carro deu a volta no quarteirão e entrou na rua Lourenço da Veiga antes de dobrar à direita na Maldonado e parar diante da antiga casa dela. A perna mecânica chamuscava, como se veias inexistentes latejassem. Ela tinha vontade de arrancar a prótese e jogá-la pela janela do carro, mas só abriu um botão da blusa, para respirar com mais facilidade, e passou os olhos pelo lado de fora. A rua estava calma. A casa de d. Teresinha, que morrera anos antes, parecia abandonada, enquanto a casa dos pais de Victoria tinha sido pintada de outra cor e recebido novas grades. Presa ao portão, havia uma placa suja de ALUGA-SE. *Tudo está morto*, Victoria pensou. Só sua árvore favorita da infância — que agora parecia muito menor — continuava ali, indiferente ao passar dos anos.

Na adolescência, Victoria adorava passar as madrugadas lendo. Tinha devorado os clássicos de ficção científica, principalmente Isaac Asimov e Philip K. Dick, além de sucessos de fantasia como *O Senhor dos Anéis* e *Harry Potter*, que havia surgido mais ou menos na época em que ela estava na escola. Por muito tempo, seu sonho tinha sido receber uma carta de Hogwarts e deixar para trás sua história de merda. Como Harry, ela era órfã, então acreditava que tinha grandes chances. Infelizmente, a carta nunca havia chegado. Em suas leituras, imaginava a aparência das personagens e, mais tarde, era comum que sentisse uma espécie de incompatibilidade quando assistia às adaptações para o cinema. Simplesmente, as personagens que ela imaginara eram muito melhores do que os atores escolhidos.

Rayane lhe dava aquela mesma sensação de incompatibilidade enquanto arrastava os pés e se apoiava nos móveis, guiando os dois pela casa para mostrar as reformas que ela e o marido tinham feito. Victoria percebeu que ela estava levemente alterada, ainda que não fosse nem meio-dia. Os olhos pesados, o ritmo lento da fala e a voz embargada não deixavam dúvida. Algum desvio de trajeto tinha levado a Rayane do diário a se transformar naquela mulher com um vestido puído que mais parecia a capa de um liquidificador. O cabelo preso num coque murcho e o rosto inchado de quem não tinha uma noite decente de sono havia meses faziam parecer que ela tinha cinquenta anos, quando não devia ter mais do que trinta e cinco.

A mulher os conduziu pelo térreo, explicando que derrubara a parede que dividia a sala de jantar e a cozinha. Por mais que Victoria tentasse, era impossível criar uma distância emocional. Havia lembranças demais: o corrimão da escada pelo qual gostava de escorregar, as pilastras na sala onde sua mãe pendurava esculturas esotéricas, o cantinho onde Eric ficava por longos minutos de castigo, o espelho grande para o qual ela olhava enquanto brincava no colo do pai. Onde costumava ficar a casinha de boneca — sua casa dentro da casa —, próximo à escada, agora havia um minibar. Victoria deu uma olhada nos rótulos das garrafas.

"Como você está?", Georges perguntou, passando o braço por sua cintura.

Ela enxugou os lábios, afastando-se sutilmente do abraço dele.

"Bem."

Rayane se sentou no sofá e acendeu um cigarro. Explicou que vivia sozinha na casa havia seis meses, desde que seu marido fora embora.

"Quero me mudar para um lugar menor. Coloquei a casa pra alugar. Mas também estou disposta a vender", ela disse. "Você tem interesse?"

Victoria esfregou as mãos suadas. Era uma ideia absurda. Ela negou com a cabeça.

"Imaginei", Rayane disse, amargurada. "Segundas são os piores dias para mim. Fico me lembrando dele neste sofá, com as pernas esticadas sobre a mesa, bebendo cerveja e vendo o jornal na TV. Esse silêncio me sufoca."

"Seu marido também estudou na Ícone?", Georges perguntou.

"Não, no São Bento", ela disse, com orgulho incontido. Era um colégio de padres bem conhecido no Rio.

"Há quanto tempo você mora aqui?"

"Quinze anos... Compramos a casa por um preço bem baixo quando casamos, porque ninguém queria... Vocês sabem... Por causa de tudo o que aconteceu", ela disse, olhando para o bar. Então suspirou fundo. "Bobagem, claro. As pessoas são muito supersticiosas."

"Você já morava no bairro na época do crime?"

"A casa dos meus pais era aqui pertinho. Minha mãe mora lá até hoje."

"E onde você estava naquela noite?"

"Não sei, foi uma noite como qualquer outra. Só me lembro do dia seguinte, quando avisaram que as aulas tinham sido suspensas e ficamos sabendo o que tinha acontecido."

Rayane amassou a guimba no cinzeiro, prendeu outro cigarro nos dentes e o acendeu com um isqueiro de metal, encarando Victoria. Aquele olhar fixo, quase condenatório, a incomodou.

"Sabia que Santiago era apaixonado por você?", Victoria perguntou.

"Vários garotos eram apaixonados por mim. Eu era muito bonita", Rayane disse, inclinando-se para mexer em uns livros grandes na mesa de centro. "Santiago nunca teve a menor chance comigo. Era meio bobo, magrelo, com braços fininhos e olhar assustado. Sempre gostei de homem de verdade. Ele era uma criança. Mesmo com dezessete anos, quando fez o que fez, ainda parecia um menino espichado, com o cabelo liso caindo sobre a testa e uma voz irritante."

"E você reparou em alguma mudança nele ao longo dos anos?"

"Que tipo de mudança?"

"Bom, ele conheceu uma menina. Rapunzel."

"Rapunzel? Sério?", ela disse, soltando uma risada alta.

"É um apelido", Victoria explicou. "Santiago começou a se relacionar com ela. Imagina quem pode ser?"

Rayane soprou a fumaça, pensativa. Então, deu de ombros.

"Não faço a menor ideia."

Ela ficou de pé e seguiu até o bar para se servir de uma dose de uísque.

"Aceitam?"

Georges negou. Victoria olhou para ele e voltou a encarar a garrafa. Queria muito dizer "sim". Um único gole já ajudaria a relaxar.

"Quer?", Rayane insistiu, em tom cúmplice.

Victoria fez que não, tentando reorganizar os pensamentos. Ajeitou-se no sofá e colocou as mãos sobre a perna mecânica na tentativa de fazer o incômodo passar.

"Meu pai tinha uma irmã e a colocou para trabalhar como inspetora. Você a conheceu?"

"Não tenho certeza."

"O nome dela era Sofia."

"Não me lembro de nenhuma Sofia."

Rayane estava sendo menos útil do que ela havia imaginado. Principalmente bêbada.

"E do Igor?", ela perguntou. "Você se lembra dele?"

A mulher voltou a se sentar, cruzando as pernas.

"Igor? Acho que não..."

"Era um garoto popular da sua turma. Vocês se beijaram na semana de atividades quando estavam na sexta série."

Rayane semicerrou os olhos, negando com a cabeça. Victoria

estendeu a foto encontrada dentro do caderno: três meninos de uniforme captados no momento do recreio, a julgar pela pele suada, pelas roupas amassadas e pelo parquinho ao fundo. Santiago tinha um braço caído ao lado do corpo de modo desleixado, enquanto o outro estava sobre os ombros dos colegas. O menino do centro era o mais bonito, com cabelos loiros, olhos de um verde intenso e um sorriso levado. Sua postura, com os braços cruzados, sem encostar em nenhum dos colegas, era de liderança. O da esquerda lembrava Santiago, apesar de ser um pouco mais baixo e troncudo, com os ombros largos e a testa protuberante.

"Ele deve ser um desses dois", Victoria disse, apontando.

Rayane bateu os olhos na foto enquanto tragava o cigarro. Gargalhou e deu uma tossida rouca, que engoliu com uma dose de uísque.

"Meu Deus, agora lembro", disse, posando o copo na mesa de centro. "Como pude esquecer? É este aqui." Ela apontou o menino do centro, fazendo um discreto carinho na fotografia. "Ele era mesmo lindo..."

"Igor ficou amigo de Santiago na sexta série", Victoria disse.

"Sim, e o outro chamava Gabriel. A mãe dele ainda é muito amiga da minha. Eram vizinhas. Posso tentar conseguir o telefone dela depois, se quiserem."

"Sim, por favor", Georges disse.

"Os três pichavam muros, carros e coisas do tipo", Victoria retomou. "Continuaram amigos até se formarem?"

"Vocês não sabem?" Ela deu um meio sorriso, revelando os dentes enegrecidos. "Igor se matou quando estávamos na sexta série."

Victoria demorou meio segundo para registrar a informação:

"Como é?"

"Foi em setembro, acho", Rayane disse, sem esconder o prazer em contar a história. "Igor se jogou do quinto andar da escola e caiu no campão durante o recreio. Chamaram uma ambulância, mas não adiantou de nada. Ele morreu na hora. Chegaram a supor que tivesse subido na janela para pichar a fachada da escola e tropeçado sem querer."

Georges e Victoria ficaram em silêncio.

"Na época, espalharam o boato de que a escola ia ser fechada por causa do acidente", ela continuou. "Mas isso não aconteceu. Colocaram trancas nas janelas. Só os professores tinham as chaves."

"E por que você disse que ele se matou em vez de dizer que ele caiu?"

"Porque é o que acho. Mas não tenho como provar."

"Igor não gostava da escola? Ou estava com algum problema?"

"Isso eu não sei..."

"E você? Gostava da escola?"

"A Ícone era como qualquer outra escola", ela disse. "Um inferno."

Victoria não se cansa de me surpreender. Jamais acreditei que seria capaz de voltar à Ilha do Governador. E aí está ela, na casa onde tudo começou. Às vezes, eu adoraria entrar na cabeça dela. Entender o que pensa, o que sente, como age. Então, alterar uma ou duas coisinhas para ficar tudo perfeito. Os outros dois me atrapalham, rodeiam a vida dela, oferecem ajuda e dão conselhos. Talvez seja hora de considerá-los peças do tabuleiro, usá-los a meu favor, e, caso ameacem demais, eliminá-los de vez. Continuo confiante de que tudo vai dar certo. Não posso me irritar, não agora. Mesmo sem saber, ela está muito perto. Perto da verdade. Perto de mim.

Vejo Victoria atravessar o portão depois de se despedir de Rayane e caminhar tensa na direção do táxi com o pisca-alerta ligado. Uma ideia me invade, me enchendo de entusiasmo. Como não pensei antes? Agora parece tão óbvio! Seguro a respiração e tento ficar calmo. Baixo os olhos, imaginando o que está por vir. Falta pouco. Falta pouco.

18.

Victoria ligou para seu Beli e pediu folga naquele dia. Preocupado, ele perguntou se havia alguma novidade sobre Santiago. Ela garantiu que estava tudo bem, mas precisava descansar um pouco. Havia coisas demais acontecendo ao mesmo tempo. No caminho para casa, ficou abraçada a Georges, encolhida contra seu peito largo com pintas subindo para o pescoço que mais pareciam constelações. Tentou se distrair contando-as em silêncio, mas era impossível. Não conseguia pensar em outra coisa: uma criança de doze anos havia se suicidado na escola dos pais.

Por que nunca tinha ouvido falar naquilo? Ela nem era nascida na época, mas ainda assim... Como tia Emília nunca havia comentado nada? Algo havia se modificado dentro de Victoria depois da conversa. Até então, a Ícone era o paraíso em seu imaginário, um lugar perfeito que Santiago havia destruído. Agora, parecia que ela tinha vivido uma ilusão. Chegando à Lapa, encarou pela janela do carro a rua cheia de gente: executivos, comerciantes e grupos de adolescentes. Santiago poderia estar entre aquelas pessoas e ela nunca saberia. A sensação de vulnerabilidade era enorme.

Diante do prédio, Victoria deu um beijo leve de despedida em Georges e abriu a porta do carro, respirando o ar poluído do centro da cidade. Caminhou depressa na direção da entrada, mas parou ao ver um menino na esquina, com um sorriso diabólico. Victoria recuou, encostou na parede e levou a mão ao bolso, procurando o canivete suíço. O menino avançou na direção dela. Victoria respirava pesado. Pensou em gritar, mas só apertou os olhos e fechou as mãos com força ao redor do canivete. Os sons da rua torturavam seus tímpanos e dificultavam os pensamentos.

Ele não a abordou... Quando ela viu, já estava distante, seguindo para o outro lado da rua. Menos de dez segundos tinham se passado, mas parecia muito tempo. O táxi continuava parado na frente do prédio. Victoria correu até a janela do carro, ainda com o peito ofegante e a cabeça zonza, e pegou Georges desprevenido.

"O que aconteceu?", ele quis saber.

"Nada, é só que..." De repente ela mudou de ideia. "Quer subir comigo?"

Georges aceitou, com uma expressão entre a surpresa e a curiosidade. Era a primeira vez que Victoria o convidava. Para comemorar, ele propôs fazer espaguete ao sugo, sua especialidade. Estavam os dois famintos. Enquanto Georges colocava a água para ferver, Victoria aproveitou para esconder Abu e outros bichinhos de pelúcia, bibelôs e sua coleção de lacinhos no armário. Ligou a TV no mudo e tirou do canal de desenhos animados que costumava ver. Quando ele se sentou no sofá, ela deitou a cabeça em suas pernas. O rosto do garoto na rua, o olhar condenatório de Rayane, o bairro esquecido no tempo... tudo a sufocava. Estava ficando paranoica? Pensou em um copo de uísque e sentiu a boca salivar. Engoliu em seco, voltando a se sentar. Georges estava a centímetros de seu rosto.

"Preciso que você me escute", ela disse, cheia de coragem. Sem pensar muito, contou sobre os problemas de alcoolismo. Falou sem pausas, enquanto a água fervia no fogão, mas Georges não a interrompeu. Ao final, ela fez questão de deixar claro que estava sóbria havia dois anos, mas que ainda era um desafio, e que cada dia que ficava sem beber era uma conquista.

Georges sorriu, fazendo carinho nela.

"Obrigado por me contar."

Logo o rosto dele se fechou numa expressão pensativa, e Georges pareceu desconfortável.

"O que foi?", ela perguntou.

Ele deu de ombros:

"Nada, esquece." Voltou a abraçá-la. "Foi uma sorte ter encontrado você."

Victoria não entendeu de onde saíra aquilo, mas preferiu não insistir. Os dois ficaram em silêncio, com a respiração entrando no mesmo compasso. Depois de algum tempo, ela se levantou para ir ao banheiro e Georges foi para a cozinha ver o macarrão. Não tinha sido fácil se abrir, assim como não tinha sido fácil voltar à casa onde vivera os piores momentos de sua vida, mas ela tinha conseguido. Sentia-se mais forte agora.

Diante do espelho, Victoria resolveu tirar o sutiã, que a apertava. Apoiada na pia, desceu a calça jeans e ficou apenas de calcinha e blusa. A perna de borracha e metal destoava do restante do corpo. Parecia meio humana, meio robô. Divertiu-se com a comparação e se achou bonita daquele jeito. Ela não precisava ser perfeita. Afinal, quem era? Abriu a porta do banheiro e foi para o corredor. A surpresa de Georges quando ele levantou a cabeça e a percebeu seminua, de braços cruzados, a encheu de coragem. Victoria se aproximou e baixou os braços sobre a bancada.

"Eu quero", disse baixinho, sem conseguir acreditar naquilo.

Georges desligou o fogo e se aproximou, dando um beijo nela enquanto segurava seu corpo com as mãos quentes. Deitou-a no sofá e a admirou à distância. Depois, se aproximou para beijá-la inteira, tirando sua blusa e deixando seus óculos na mesa de centro. Victoria sentiu certa perturbação com a saliva e os sussurros de excitação enquanto ele lambia seu pescoço. O peso do corpo dele a deixou ligeiramente sem ar. Georges se afastou para perguntar se estava tudo bem.

"Continua", ela pediu, esforçando-se para compreender todas as sensações.

Eles foram para a cama. Victoria estava com medo e ansiosa, mas queria acreditar que valeria a pena. Enquanto Georges descia a língua pelos seus seios, ela manteve os olhos bem abertos, observando a cabeça dele, que se movia num vaivém. Soltou um gemido quando Georges tentou penetrá-la. Ele recuou, arfando, e prometeu que iria com mais calma. Com a vista embaçada, ela estudou cada variação em seu rosto — o brilho nos olhos, as bochechas e a boca contraídas, as narinas bem abertas.

Ela subiu nele, assumindo o controle. Apesar do incômodo, a visão de Georges em êxtase fez crescer em Victoria uma satisfação, como uma rede elétrica percorrendo um circuito que ia da boca ao baixo-ventre, passando pela nuca e pelos seios. Minutos depois, Georges gritou, entre o gozo e a surpresa. Ela saiu de cima dele, deitando-se extasiada. Era inacreditável: pela primeira vez, havia conseguido ter intimidade com alguém. Sentia como se houvesse descoberto um pouco mais sobre si mesma. Ao lado dela, Georges recuperava o fôlego enquanto a acariciava e pedia desculpas por ter terminado antes dela. Victoria não sabia o que dizer. Ficou olhando para Georges suado sobre o lençol, sentindo-se devassa e potente. Sentindo-se mulher.

19.

Victoria reparou que o consultório estava diferente. Os quadros na parede eram novos — no lugar das duas pequenas imagens campestres, havia uma fotografia em preto e branco de um olho através de uma lente distorcida e outra de folhas secas sobre um piso de ladrilhos antigos. Ela não gostou das imagens, especialmente do olho, que parecia observá-la. Era uma péssima escolha para a parede de um lugar onde pessoas contavam suas intimidades. Sobre a mesa, havia um arranjo de vidro com rosas brancas que conferia certa poesia ao lugar.

"Ganhei de uma paciente", o dr. Max comentou, ao vê-la se demorar nas flores.

Victoria nunca tinha dado nada para ele. Achava que psiquiatras não podiam aceitar presentes. Por um instante, sentiu-se ingrata por nunca ter pensado em agradecer por tudo o que fazia por ela. Quis se desculpar, mas ficou quieta. Ao se sentar na cadeira, teve a impressão de que a poltrona do psiquiatra estava um pouco mais próxima. Ele a encarava com as pernas descruzadas, as mãos sobre as pernas e o olhar calmo. Para justificar o cancelamento da sessão anterior, Victoria o atualizou sobre os últimos acontecimentos: as páginas de diário passadas por debaixo da porta e a decisão de voltar à casa de seus pais depois de vinte anos para conversar com Rayane.

Ele não pareceu surpreso. Deu apenas um meio sorriso e quis saber como tinha sido para ela.

"Difícil."

"Imagino", ele disse, num tom condescendente. "E o que mais?"

"Na verdade, achei que ia me sentir muito pior... Cheguei a pensar que não ia conseguir, mas, quando estava lá, apesar da sensação ruim, tudo parecia tão distante do que eu tinha conhecido e vivido. A escola, a casa dos meus pais... Era outro mundo."

Ela contou da morte de Igor e mencionou que pretendia conversar com d. Mirela, mãe de Gabriel, assim que Rayane lhe passasse o contato.

"Posso ir com você, se quiser", ele se ofereceu.

Victoria baixou os olhos, hesitante.

"Não precisa, Georges vai", ela disse.

"Claro, claro." O dr. Max sorriu, entrelaçando os dedos. "Como estão as coisas com ele?"

Do jeito mais natural possível, ela explicou que continuavam a sair e que estavam felizes, mas não se sentia à vontade para confessar que perdera a virgindade. Seria estranho demais falar sobre aquilo com o psiquiatra.

"Ele tem me apoiado", ela continuou, de modo vago. "Com tudo o que vem acontecendo, é bom ter alguém como Georges ao lado."

"Você está assumindo responsabilidades e enfrentando seu passado, o que é ótimo", o dr. Max disse. "O perigo é viver no limite das emoções. Ou tudo ou nada. Visitando o bairro dos seus pais, você não sente nada. Com Georges, sente tudo. A impulsividade é seu motor. Já pensou por que age assim?"

A pergunta a irritou profundamente.

"Cada um cumpre um papel na sua vida, Vic", o psiquiatra continuou. "O escritor, seu vizinho, seu chefe, o Arroz..."

"Você também?"

"Eu também. E Santiago, claro."

"Ele não cumpre nenhum papel na minha vida."

"Santiago é sua compulsão. Invadir sua casa, grafitar a parede, passar folhas do diário por debaixo da porta. É como se quisesse manter você presa a ele, estabelecer um diálogo."

"E se eu não quiser conversar com Santiago?"

"Talvez você não perceba", o dr. Max disse, sério, "mas, ao correr atrás dessa história, já está fazendo isso."

Victoria chegou mais cedo ao trabalho. O Café Moura não estava tão cheio — era aquela breve hora de descanso entre o caos do café da manhã e o do almoço. Margot perguntou se estava tudo bem, mas Victoria não queria conversa. A sessão com o dr. Max a tinha deixado num insuportável estado de nervos. Pela primeira vez, cogitava procurar outro psiquiatra — ou talvez deixar a terapia e continuar apenas com os remédios. Se ele pretendia testar abordagens tão diretas, que encontrasse outra cobaia. Ela estava de saco cheio.

De modo geral, os dias seguintes foram ruins. Victoria havia experimentado uma liberdade inédita ao ir para a cama com Georges, mas precisava de um tempo para assentar os sentimentos. Disse aquilo a ele de forma clara em um encontro na quinta à noite. Ainda tinha dificuldades com a overdose de intimidade. Mesmo dizendo que entendia, Georges começou a ficar estranho logo depois. Em alguns encontros, parecia incomodado, aéreo; em outros, tenso e preocupado, observando-a fixamente, como se quisesse lhe dizer alguma coisa. Apesar de tudo, continuava romântico e divertido, com frequência a elogiava e dizia que a amava. Quando chegava atrasado, se desculpava, sorrindo. "Estava esperando?", perguntava. Aquilo tinha virado uma piada interna.

Ele deixou de frequentar o café à tarde com a desculpa de que pegara uma tradução para fazer. Os dois continuaram a trocar mensagens pelo celular e a se encontrar de vez em quando, mas ela percebia que algo havia mudado. Tentou não se abalar. Depois de um início acelerado, era natural que as coisas arrefecessem, o que não significava que estivessem piorando. Além disso, ela tinha mais com que se preocupar. A provocação do psiquiatra havia sido certeira: ao ler as páginas do diário e buscar as pessoas daquela época, Victoria aceitava o jogo do assassino. Investigar o passado talvez fosse justo o que Santiago desejava que ela fizesse. Às vezes, sentia vontade de arremessar tudo para o alto e queimar as folhas do caderno, mas não conseguia.

Em um final de semana, decidiu pesquisar notícias sobre a tragédia. Com surpresa, notou que as principais recordações que trazia da época — sobre o bairro, a escola e a casa — eram embasadas nas fotos de jornal que tinha visto na adolescência: o portão da escola, a fachada da casa, a entrada de carros na lateral e até a pracinha do bairro estavam lá, nas páginas velhas, em fotografias em preto e branco sob manchetes apelativas. Ela leu o material com cuidado, mas Sofia não era mesmo mencionada em nenhuma reportagem.

Voltou a ligar para Rayane para ver se tinha conseguido o contato da mãe de Gabriel. Com a voz lenta, como se mergulhada numa garrafa de gim, a mulher se desculpou pela demora, dizendo que as últimas semanas tinham sido uma loucura, porque havia finalmente conseguido alugar a casa e se mudara às pressas. Ela prometeu que retornaria em breve com o telefone de d. Mirela. Sozinha em casa, de madrugada, Victoria se flagrava na janela, observando os pedestres pelo telescópio, ou rodeada de papéis, fotos e reportagens antigas, encarando a porta do apartamento fechada, cheia de trincos, como se pudesse se abrir a qualquer momento. O silêncio de Santiago mantinha seus dias em suspenso. Pesadelos vívidos interrompiam suas noites. Como alguém no corredor da morte, tudo o que lhe restava era esperar.

Em um domingo, Arroz telefonou para Victoria, convidando-a para visitar um apartamento próximo à estação de metrô Cardeal Arcoverde. Ela resolveu aceitar. Uma multidão munida de isopores e cadeiras de praia descia os quarteirões na direção da orla, fazendo muito barulho. A mistura de cheiros — batata frita, maresia, suor e areia — a deixou com dor de cabeça. Viu Arroz chegando com o fluxo de pessoas seminuas. Parecia um ser de outro planeta: vestia jeans escuro e camiseta preta de manga comprida com o logo da DC Comics. Estava bastante suado nas têmporas e no pescoço, mesmo com os cabelos compridos presos num coque no alto da cabeça ossuda.

Visitaram um apartamento que estava para alugar na rua Duvivier, onde três idosas viviam. Muito simpáticas, elas explicaram detalhes sobre o condomínio e suas comodidades, então guiaram os dois pelos cômodos, incluindo uma biblioteca enorme com livros encadernados cheirando a mofo e um quarto com uma parede repleta de pôsteres de bandas dos anos 1980, o que Victoria achou peculiar. Uma das senhoras — a que parecia mais perspicaz — perguntou se eles eram mesmo um casal. Arroz confirmou, pegando a mão de Victoria para beijar. Os dois ficaram pouquíssimo tempo no apartamento. Para ela, conhecer a intimidade alheia já não tinha a mesma graça.

Enquanto desciam no elevador, Arroz a chamou para um "estrogonofe falso" na casa dele, como nos velhos tempos. Victoria estava com fome e aceitou. O apartamento continuava o mesmo: bagunçado, repleto de nerdices nos lugares mais inusitados (só no banheiro, havia uma lista ensinando a mijar de pé com roupa de jedi e uma cortina de plástico ensanguentada que remetia a *Psicose*). Ele colocou um álbum de músicas new wave para tocar enquanto cozinhava. Após servir os pratos, comentou que ela estava um pouco abatida.

"Você continua sendo ameaçada?"

Victoria não sabia responder. Sentia-se exposta e confusa. Santiago parecia querer torturá-la, e estava conseguindo. Naquele momento, a intenção dela era contar tudo para Arroz e acabar com aquela barreira patética na amizade deles, mas não era tão fácil. Victoria ficava cansada só de pensar no assunto.

"Estou bem", ela se obrigou a dizer.

"E o Georges?"

Victoria hesitou por um instante.

"A gente se gosta, Arroz", ela disse, constrangida. Não queria voltar àquele assunto. Provou o estrogonofe e elogiou: "Está ótimo".

"Algumas coisas não mudam", ele respondeu, irônico.

"Me fala de você."

Arroz engasgou com a comida.

"De mim?", perguntou, tossindo muito.

"É, de você. De onde você vem, quem é sua família, como se tornou quem é."

Ele baixou os talheres e limpou os lábios com um guardanapo. Victoria entendia sua surpresa. Depois de anos de amizade, só agora estava pronta para dar aquele passo.

“Começo pelo meu nome?”

Ela sorriu, dando de ombros.

“É um bom começo.”

“Vinícius”, ele disse, nervoso, então endireitou a coluna. “Vinícius Rizzo. Muito prazer.”

Ele estendeu a mão, e ela a apertou.

“Vinícius? Sempre te achei com cara de Pedro ou Eduardo.”

“Gosto do meu nome. Sabia que é o único nome masculino sem as letras A, E, O e R?”

“Não sabia”, ela respondeu, balançando a cabeça. “E por que Arroz?”

“Por causa do Rizzo, sobrenome do meu pai. A pronúncia é igual à de ‘arroz’ em italiano. Por isso, me deram esse apelido na escola, e nunca me importei. Passei até a usar como nick.”

Enquanto comiam, Arroz contou que era o mais velho de cinco irmãos homens criados em Pernambuco. A mãe era dona de casa e o pai era militar. Viajara pelo mundo a serviço como mecânico de voo antes de se aposentar. Arroz contou que tinha o hábito de observar a vida dos moradores da cidadezinha em que vivia pelas frestas das paredes de madeira. Começou a trabalhar cedo e teve que amadurecer rápido. Havia rompido as regras da família ao se arriscar na cidade grande: seus irmãos continuavam no Nordeste, mas ele tinha se mudado para o Rio na cara e na coragem para estudar enfermagem. Depois abandonara a faculdade para se dedicar à informática. Ela entendia por que ele mantinha alguns hábitos infantis com mais de trinta anos. Era sua maneira de compensar a falta da infância. Arroz entrou em tantos detalhes de sua vida enquanto lavavam louça que Victoria teve a impressão de que ele tampouco tinha com quem conversar.

“E você?”, ele perguntou, sentando-se no sofá. “Vai me contar algo a seu respeito?”

“Meu nome você já sabe.”

"Estou falando do resto."

Ela pensou por um instante:

"Ainda não."

Arroz soltou um muxoxo.

"Me sinto numa panela de pressão", ela disse, sentando-se no sofá. "Parece que vou explodir a qualquer momento."

Ele se aproximou e colocou as mãos sobre as dela.

"Posso te dar uma dica? Toda vez que se sentir pressionada, pensa no George Martin."

"O produtor dos Beatles?"

"Não, o cara que escreveu *Game of Thrones*", Arroz disse. "Sempre que tenho um problema no trabalho ou levo bronca de algum cliente, penso nele."

"Por quê?"

"Até pouco tempo, ele era um gordinho nerd que ninguém conhecia. Aí as histórias que escrevia viraram série de TV e todo mundo passou a ver e a comentar, o que é ótimo, claro, mas as temporadas alcançaram os livros, e tem muita gente com medo de que ele morra antes de terminar de escrever tudo. Mas não tem jeito… Ele demora pra escrever. Mesmo com todo o sucesso, continua a ser o mesmo gordinho nerd de antes… Tem cara de quem gosta de dormir muito, comer bem, beber e encontrar os amigos. Imagina como as pessoas ficam olhando pra ele quando está num restaurante… *Você deveria estar escrevendo, George Martin. Esquece esse espaguete e vai pra casa pensar em dragões!* Na verdade, é o que as pessoas devem dizer quando ele está fazendo qualquer outra coisa. É foda! Se a gente sofre pressão, imagina ele."

Victoria sorriu. Não era o melhor consolo do mundo, mas pelo menos Arroz estava tentando.

"Nem todo mundo é Stephen King, né?" Ele deu um sorriso. "O cara é impressionante. Acho que ele não gosta de comer, dormir, jogar video game nem nada do tipo. Só escreve, e faz isso com os pés nas costas. Um livro de quinhentas páginas atrás do outro. Pra ele, não tem pressão. Infelizmente, acho que a gente está mais pra George Martin do que pra Stephen King nessa vida."

20.

Victoria já havia escutado falar da Legião da Boa Vontade, a LBV, uma entidade voltada para a assistência social. Um funcionário usando uma camisa com o logo da entidade — um coração com "paz na terra aos homens de boa vontade" escrito ao longo de uma corrente — guiava Victoria e Georges pelo Centro Educacional José de Paiva Netto, no bairro de Del Castilho, e explicava as atividades realizadas com as crianças carentes no espaço, que contava com salas de aula e quadras poliesportivas.

Após tomarem o elevador, eles chegaram ao refeitório cheio, porque era hora do jantar. Pelo menos duas centenas de crianças brincavam e conversavam em meio a garfadas ou enquanto se serviam no bufê. Em uma mesa mais distante, d. Mirela os aguardava. Era uma senhora de cabelos brancos com laquê, óculos de armação grossa e uma postura elegante, apesar de vestir jeans e camisa azul-marinho também com o logo da entidade. As mãos cheias de anéis estavam pousadas sobre uma pasta fina de papel pardo.

"Preferem conversar em outro lugar?", ela perguntou, sem

se levantar para cumprimentá-los. "Para mim, aqui está bom. Gosto de ficar de olho nas minhas crianças."

Georges estendeu a mão para que Victoria se sentasse ao lado dele no banco, mas ela preferiu ficar na cabeceira, mais perto da mulher.

"Obrigada por receber a gente", Victoria disse.

D. Mirela fixou os olhos escuros nela.

"Eu não queria... Odeio falar do passado. Estou velha o suficiente para querer me agarrar ao tempo que me resta. Sou feliz com o que faço e com o que tenho: Jesus Cristo, este lugar, minhas crianças... A maioria vai embora daqui a pouco, às oito. São filhos de pais carentes, que trabalham o dia todo e não têm com quem os deixar. As crianças me ensinam muito. Mais do que eu seria capaz de ensinar a elas."

Um breve silêncio se fez. D. Mirela mexia os dedos de maneira lenta, arrastando a pasta de papel pardo de um lado para o outro, num movimento automático.

"Seu filho era amigo de Santiago e de Igor", Victoria disse, calma. "Igor morreu quando eles estavam na sexta série. A senhora se lembra disso?"

"Eu morava na rua da escola. Fui uma das primeiras a chegar, antes mesmo da ambulância. Acredite em mim: não é algo que se esqueça. Uma criança desmontada no pátio de um campo de futebol, ensanguentada... Igor caiu todo torto, com as pernas e os braços próximos um do outro, como se tivesse... achatado, passado numa prensa, uma coisa horrível."

Victoria se esforçou para não imaginar a cena.

"Tinha um spray do lado dele", ela continuou. "Eles já tinham mania de pichar naquela idade. Quando soube o que Santiago fez anos depois, fiquei muito mexida. Pichar a cara de alguém morto de preto é tão... cruel."

“Seu filho e Santiago continuaram amigos até o terceiro ano?”

“Sim… Minha impressão é de que a morte de Igor impactou tanto aqueles meninos que eles ficaram ainda mais próximos. Criaram um universo próprio”, d. Mirela disse. “Logo depois que aconteceu, Gabriel começou a se fechar. Aos catorze, teve o primeiro surto psicótico. E só piorou nos anos seguintes.”

“O que a senhora achava de Santiago?”

“Parecia um garoto normal.”

“Alguma vez seu filho falou do motivo para Santiago ter feito o que fez?”

“Existe motivo para invadir uma casa, matar três pessoas e pichar o rosto delas? Gabriel ficou tão surpreso quanto qualquer um de nós.”

Mirela também se recusava a chamar Gabriel de filho, como Átila em relação a Santiago.

“Me fala mais sobre os surtos do seu filho”, Victoria retomou.

“Começaram de repente. Ele parecia mais ansioso e angustiado. Achei que era coisa da adolescência. Às vezes, passava a tarde trancado no banheiro, sem fazer nada. Ou então ficava agitado e falava sozinho. Eu o levei ao médico e ele foi diagnosticado com hiperatividade, sintomas psicóticos e compulsão sexual. Era tão estranho pra mim… Um menino quieto, criado segundo os ensinamentos de Deus. Tinha feito catecismo e primeira comunhão. Passei a ficar mais atenta. Ele se trancava no banheiro sete ou oito vezes ao dia, por uns dez minutos, acho que para se tocar.”

“Gabriel fez tratamento?”

“Fez, mas não melhorou muito. Não conseguia se concentrar, vivia arrumando problema na escola. As notas foram por água abaixo, o boletim vinha todo vermelho. Ficava sempre de recuperação e não repetia por pouco. A Ícone não era exatamente uma escola difícil. Foi no colegial que veio a primeira acusação. Três meninas foram à diretoria dizer que Gabriel as tinha atacado."

"Atacado?"

"Apesar de tudo, não acreditei que ele faria uma coisa dessas. Às vezes, a gente é mesmo cega. Elas contaram que Gabriel invadiu o banheiro e baixou a calça... Então tentou fazer com que elas pegassem nele e..." D. Mirela fechou os olhos, envergonhada. "Não havia câmeras nos corredores, então elas não tinham provas. Gabriel só foi suspenso por uma semana e transferido de turma."

Victoria deixou que a mulher se recuperasse antes de perguntar:

"Mas houve uma segunda acusação?"

"Meu filho entrou na faculdade de farmácia só Deus sabe como. Parecia um milagre. Por um tempo, cheguei a acreditar que ele havia mudado. Gabriel não tinha amigos, mas parecia mais... tranquilo, não sei. Só que já no segundo período duas moças, uma aluna e a responsável pela faxina, o acusaram de estupro. E tinham provas. A aluna fez exame de corpo de delito. Estava cheia de machucados. Ele tinha amarrado a coitada com cordas e batido muito nela. O DNA de Gabriel estava no corpo todo dela. Ele foi preso, julgado e condenado. Então diagnosticaram o transtorno de personalidade. Ninguém nunca tinha falado naquilo antes. Mas essas coisas quando vêm são todas de uma vez, não é?"

Com o indicador, ela empurrou a pasta na direção de Victoria, que a abriu e passou os olhos pelas poucas folhas. Além de uma cópia da condenação de Gabriel, havia um relatório médico do manicômio judiciário Heitor Carrilho sobre ele.

"O juiz determinou que Gabriel fosse encaminhado a um

hospital penitenciário. Sofri muito, ele era tudo o que eu tinha. Mas ele merecia. Fazer o que fez com essas mulheres... Precisei aceitar que Gabriel era um pervertido, um sádico. E isso não tem perdão."

Havia uma frieza assustadora na voz dela.

"Sinto muito", Victoria disse.

"Não sinta. Sou feliz com minhas crianças..."

"Seu filho continua internado?"

"Infelizmente, não. Ele fugiu... há seis anos." D. Mirela empurrou os óculos quadrados sobre o nariz. "Não sei direito o que aconteceu. Ninguém sabe. Parece que houve um princípio de incêndio no manicômio. O alarme disparou e gerou uma confusão enorme. Gabriel se aproveitou da situação para escapar como se fosse um dos médicos."

"Como ele fez isso?"

D. Mirela recolheu os braços e os escondeu debaixo da mesa. Sua aparência subitamente frágil fez Victoria pensar em tia Emília. Ainda que estivesse chateada, sentia falta da tia-avó.

"O médico que cuidava de Gabriel morreu", ela disse, engolindo em seco. "Ele o matou e saiu pela porta da frente."

"Em seis anos, seu filho nunca procurou a senhora?"

"Se me procurasse, eu o entregaria à polícia ou aos médicos. Em nome de Jesus, Gabriel não pode viver em sociedade. Ele estuprou pelo menos duas moças, matou um homem e fez questão de nunca mais aparecer... Eu falhei. Falhei como mãe. A culpa também é minha", ela disse, crispando os lábios. "É melhor que não tenha me procurado. Essas crianças são meus filhos agora."

D. Mirela voltou a colocar as mãos sobre a mesa e manteve a coluna ereta, como se nada daquilo a abalasse. Ajeitou uma mecha de cabelo e encarou Victoria sem qualquer emoção no rosto.

“A polícia me entregou um diário de Santiago”, Victoria mentiu. “Seu filho é mencionado em diversos momentos. Em julho de 1993, Santiago se aproximou de uma menina que ele chama de Rapunzel. Gabriel a conhecia?”

“Acho que não. Na verdade, não sei. É possível. Gabriel nunca se abriu comigo, e depois da morte de Igor só piorou. Conhecer aqueles dois foi a pior coisa que aconteceu na vida dele. Os três só podem ter sido amaldiçoados. Todos se perderam na vida. Nenhum deles foi feliz.”

D. Mirela ficou de pé, dando a conversa por terminada. No caminho até a área externa, contou a Victoria e Georges sobre as crianças de que mais gostava no lugar. Ao portão, Victoria agradeceu pela atenção dela e se despediu com um aceno. A mulher abriu um sorriso amarelo e virou as costas, seguindo o trajeto ladeado de pedras coloridas até desaparecer no interior do prédio.

21.

Os três só podem ter sido amaldiçoados. A frase não saía da cabeça de Victoria. Era uma coincidência aterradora: um se matou na sexta série, outro apresentou distúrbios psiquiátricos e um terceiro virou assassino. Toda vez que deixava o pensamento viajar, Victoria chegava a respostas que beiravam o sobrenatural para explicar a tragédia que se abatera sobre os meninos, como se algo de diabólico conduzisse o destino deles em uma espiral de loucura e crueldade. Era assustador.

Em uma quarta-feira chuvosa, ela tomou um banho quente, vestiu um casaco e uma capa de chuva, pôs o canivete no bolso e tomou o ônibus para a casa de repouso enquanto escutava "Under Pressure" na função repeat pelos fones de ouvido.

Tia Emília estava deitada na cama de solteiro, com os óculos na ponta do nariz, lendo a Bíblia. Ela ergueu a cabeça ao vê-la, sorriu e fez sinal para que se aproximasse. As duas não se encontravam havia semanas — nunca tinham ficado tanto tempo sem se falar desde a morte dos pais de Victoria.

Ao abraçar o corpo franzino da tia-avó, com cheiro de água

de colônia, Victoria se deu conta da saudade enorme que sentia. Como pudera se afastar tanto? A discussão que a magoara parecia despropositada em retrospectiva. Tia Emília a benzeu como de costume, fazendo o sinal da cruz diversas vezes e pedindo a proteção de todos os santos, numa sequência de nomes que, ao longo dos anos, Victoria havia decorado. Depois, segurou a mão da sobrinha-neta e acariciou seu rosto.

"Quais as novidades, minha filha?"

O tom da pergunta era animado, o que deixava claro que ela também estava disposta a esquecer a briga. Tanta coisa havia acontecido, mas Victoria preferia não contar.

"Nenhuma", respondeu.

Como num acordo tácito, tia Emília não insistiu com perguntas sobre o "amigo" de Victoria. Assuntos delicados estavam proibidos até segunda ordem. Conversaram sobre os acontecimentos recentes na novela das oito e sobre as notícias de corrupção que ocupavam o noticiário nacional. Três horas se passaram num piscar de olhos. Pouco depois do meio-dia, a enfermeira entrou no quarto para avisar que estava na hora do banho.

"Eu ajudo", Victoria disse.

De início, tia Emília foi contra, porque era vaidosa e não gostava de ficar nua na frente de ninguém (quando entrara na casa de repouso, tinha travado uma pequena guerra para impedir que as enfermeiras a despissem), mas a sobrinha não precisou insistir tanto. Victoria afastou o cobertor e ajudou a tia-avó a se levantar, então lhe entregou a bengala.

Seguiram a passos lentos até o banheiro, onde Victoria desceu as alças do vestido de tia Emília, analisando suas costas levemente arqueadas enquanto dobrava a roupa sobre a bancada da pia. A calcinha bege subia até a altura do umbigo. Victoria a tirou e levou tia Emília pelo braço até o chuveiro, onde esfregou a pele murcha com sabonete. A mulher estava nitidamente incomodada com o olhar dela, o que a fez desviar o rosto. Um silêncio pesado se pronunciava entre as duas.

Minutos depois, a enfermeira bateu na porta do banheiro.

"Estão acabando?"

"Já é hora do almoço?"

"Ainda não. É só que... O correio acabou de passar e tem uma encomenda pra senhora", a enfermeira falou, com a voz abafada pela porta. Então riu, constrangida. "Diz 'urgente'."

Victoria deixou tia Emília se penteando diante do espelho e foi até a porta. Segurou a maçaneta com a mão trêmula e abriu uma fresta para pegar o envelope que a enfermeira lhe estendia. Não era muito pesado. Pelo tato, já conseguia imaginar o conteúdo. Não havia mais nada além do carimbo vermelho, nenhum remetente.

"O que é isso, minha filha?", tia Emília perguntou.

Victoria engoliu em seco, suando frio. Encarou a tia-avó. Seu estômago se revolvia. Ela não conseguia pensar numa mentira convincente. Rasgou o lacre para confirmar: era mais um maço de folhas do caderno.

"Fala comigo, Victoria!", tia Emília insistiu. "Você está branca, minha filha!"

Aquilo estava saindo dos limites. Já havia saído, mesmo que Victoria tentasse negar. Ela colocou o envelope debaixo do braço e ajudou a tia-avó a se vestir. Levou-a até a cama e sentou bem perto.

"Preciso que seja honesta comigo", disse, com a voz tensa. "Já viu essas folhas de caderno antes? Já recebeu isso?"

"Não, nunca... O que é? Tem a ver com Sofia?"

A curiosidade de tia Emília iluminou a mente de Victoria. De repente, como em um jogo de peças, tudo pareceu se encaixar.

"Preciso que me escute... É importante. Santiago conheceu uma menina em 1993, quando estudava na Ícone, e começou a sair com ela. Ele a chamava de Rapunzel, um apelido. Mas por que não usar o nome real? Sofia trabalhava na escola nessa época...", Victoria insinuou, cuidadosa. Entrava em terreno perigoso. "Fiquei imaginando a comoção que uma inspetora tão jovem causava nos alunos, principalmente nos meninos..."

Tia Emília fechou o rosto, baixando a cabeça para resmungar.

"O que foi?", Victoria perguntou.

"Não adianta esconder nada de você, não é? É tão teimosa."

"A briga do meu pai com Sofia teve a ver com um aluno? Algo que ela fez com Santiago?"

Tia Emília ficou imóvel, com a boca retesada e os olhos bem abertos.

"Só sei a história por alto", ela começou, com um suspiro. "Preferi me manter distante na época. Sofia era uma pervertida. Uma louca. Era inspetora e ficava se encontrando com um garoto bem mais novo. Um aluno. Quando seus pais descobriram, abafaram o caso, mas proibiram, claro. Sofia ficou fora de si, surtou, falou coisas horrorosas, fez ameaças... Foi um pesadelo. Eu não sabia quem era o aluno, mas quando Santiago fez tudo aquilo tirei minhas próprias conclusões. Nunca falei pra ninguém porque não queria manchar a imagem da família mais do que Sofia já havia manchado. E não faria diferença nenhuma. Está satisfeita agora?"

"Satisfeita" não era a palavra certa. Quando o caso começara, Santiago tinha doze anos e Sofia, dezenove. Era repugnante.

"Ela está te enviando cartas, é isso? Está te chantageando?"

"Ninguém está me chantageando", Victoria respondeu.

"E essas folhas? São o quê?"

"Nada, não precisa se preocupar. A polícia está cuidando do assunto."

Se mencionasse Santiago, tia Emília nunca mais ia deixá-la em paz. Diante da insistência dela, Victoria prometeu que a visitaria mais vezes e contaria se acontecesse alguma coisa. Deu um beijo na testa da tia-avó, em despedida. Saiu da casa de repouso com a cabeça prestes a explodir. Agora sabia o motivo pelo qual intuíra que era importante encontrar Sofia: ela era a razão para Santiago ter feito o que fez. Ela era Rapunzel, a menina por quem ele tinha se apaixonado.

Victoria não resistiu a abrir o envelope e ler depressa as novas páginas enquanto o ônibus sacudia no caminho para casa. Ao entrar no apartamento, cogitou reler o que já tinha para compreender melhor, mas estava tão enjoada que foi se deitar, abraçada a Abu. Uma certeza amarga a perturbava: os três meninos tinham sido mesmo amaldiçoados. Por Sofia.

22.

DIÁRIO DE SANTIAGO

20 de agosto de 1993, sexta

Não tive tempo de escrever aqui, mas esta foi a pior semana da minha vida. Para começar, tive as primeiras provas do semestre e fui muito mal em matemática e história, que eu odeio. Meu pai quase não ficou em casa e aproveitei pra ficar tocando punheta sossegado, mas não é a mesma coisa que ter a Rapunzel, sentir o cheiro, os peitos e a boca quente dela.

Tentei falar com a Rapunzel a semana inteira, mas ela me ignorou, como se não tivesse acontecido nada no sábado. Na terça ou na quarta, ela passou direto por mim no corredor da escola, como se eu fosse um fantasma. Fiquei muito mal. Ando tendo uns pesadelos esquisitos, acordo suando, com o corpo tremendo, o coração batendo forte e o pinto duro. Penso na Rapunzel o tempo todo, até durante a aula. É como se ela tivesse grudado na minha cabeça. Hoje, na hora do recreio, não aguentei e fui atrás dela.

Rapunzel saiu do banheiro do terceiro andar. O corredor estava cheio de gente, mas cheguei perto sem medo e disse que precisava conversar. Ela mexeu nos cabelos, nervosa, e me puxou pelo braço até um canto. Com a voz baixa, disse que confia em mim, que a gente tem um segredo e que, se eu não me controlar, nunca mais vai me chamar pro nosso cantinho. Eu só queria que ela me desse um beijo, um só, mas nem isso ela fez. Foi embora com um "até mais, meu príncipe" e fez um carinho simples no meu rosto, tipo de amigo. Não gostei. Mas também não sei o que fazer. Contar pro papai não dá. E não vou contar pro Igor e pro Gabriel porque prometi pra ela. Então só posso escrever aqui e esperar que o "até mais" chegue logo. Será que um dia chega?

[...]

9 de setembro de 1993, quinta

Acho que não vou mais ser amigo do Igor e do Gabriel, eles estão muito chatos. Hoje sumiram no recreio. Quando encontrei com eles no campão ficaram cochichando baixinho perto da grade pra eu não escutar.

Não sei o que aconteceu, mas eles não me chamam mais pra pichar nem pra jogar video game. Desde semana passada. Quando comentei isso, eles falaram que sou muito criança, então pega mal andar comigo. Fiquei com raiva na hora. Aí falei que criança eram eles, que nunca tinham levado uma chupada. Os dois riram. Depois fizeram um monte de perguntas, mas não contei nada. Igor ficou falando que ele já tinha até transado enquanto eu era um virjão idiota. Deve ser mentira dele.

[...]

11 de setembro de 1993, sábado

Minha cabeça ainda está doendo, mas não foi sonho. Aconteceu de verdade. Ontem, na saída da escola, a Rapunzel me disse que ia estar sozinha em casa hoje. Fiquei feliz e ansioso. Nem dormi direito. Logo depois do almoço, meu pai me deixou de carro na porta do Igor. Fui direto pra casa da Rapunzel. Ela tinha deixado o portão encostado e já estava me esperando no nosso cantinho.

Quando cheguei, ela tirou a roupa, mostrando os peitões. Os cabelos meio que caíam no rosto e ela tinha um cigarro na boca. Pelo cheiro, era maconha. A luzinha acendia nos lábios dela, como se fosse um pisca-pisca. Ela estendeu o cigarro pra mim, mas eu recusei, dizendo que não queria ficar viciado. A Rapunzel riu e disse que maconha não faz mal nem vicia, que era só pra relaxar. E relaxa mesmo.

De primeira, não senti nada. Ela disse que era pra eu puxar mais forte, e aí até saiu fumaça. Mandou eu tirar a roupa também e a gente ficou pelado um do lado do outro, eu com o pinto duro, bebendo a latinha de cerveja que ela me deu. Quando o cigarro já estava acabando, ela acendeu outro. Eu já estava meio tonto e parei. A gente bebeu juntos umas cinco latinhas, acho. Não sei direito a ordem das coisas porque eu estava tentando parecer calmo, mas por dentro estava muito nervoso. Ela pegou minhas mãos e ficou cheirando, depois colocou meus dedos na boca, como se fossem pirulitos. Deitou na mesa redonda e abriu bem as pernas, mostrando a xoxota.

A Rapunzel pediu que eu enfiasse os dedos nela. Obedeci, devagar, e ela gritou e ficou pedindo mais, mais fundo. Era quente e molhado lá dentro, a Rapunzel se contorcia, e parecia que sugava meus dedos, quase a mão inteira. Aí chegou a hora de ficar em cima dela. Foi difícil encaixar o pinto, mas ela ajudou e foi uma delícia. Gozei dentro dela, sem ar, gritando muito.

A sensação era de que todo o meu sangue saía pelo pinto. Deitei do lado e senti a mesa grudando nas minhas costas por causa do suor. Minha cabeça girava como aqueles brinquedos de parquinho. O teto parecia o desenho do universo em expansão que a gente vê nas aulas de geografia. Era preto e tinha umas coisas de ferro nele e uns pontinhos que pareciam estrelas.

Uma das luminárias balançando de um lado pro outro começou a conversar comigo. Ela tinha olhos e uma boca que se mexia, e achei aquilo doido e engraçado. Meu cérebro doía de tanto rir. Fiquei muito cansado, estava quase dormindo, quando vi dois olhos no alto da parede. Gritei e fiquei de pé na mesma hora, todo arrepiado. Os olhos sumiram, mas logo depois uma sombra passou atrás de mim e escutei um barulho de algo caindo. Meu coração estava acelerado e senti que ia desmaiar. Não acredito em fantasma, mas não conseguia parar de tremer.

Rapunzel me abraçou e me acalmou. Disse que não tinha nada, eu só estava delirando. Fiquei mais tranquilo quando ela acendeu a luz e me deu uma barra de chocolate. Depois jogou uma toalha pra mim e mandou eu me vestir depressa e ir embora antes que alguém chegasse.

Continuei preocupado. Quando dobrei a esquina, no caminho para casa, olhei pra trás, me sentindo observado. Não vi ninguém. E vomitei.

[...]

17 de setembro de 1993, sexta

Meu pai me levou em um psiquiatra aqui perto de casa depois da aula. Ele acha que estou com algum problema, porque tive pesadelos a semana inteira. Eu disse pra ele que não é nada, mas não adiantou. O psiquiatra fez um monte de perguntas. Falei muito da minha mãe, mas garanti que sou feliz e cheio de amigos na escola. Não vou contar sobre a Rapunzel pra ninguém. Iam querer me separar dela. E ela é a mulher da minha vida.

[...]

22 de setembro de 1993, quarta

Vou tentar contar como tudo aconteceu. Não fiz de propósito. Quer dizer, fiz, mas não estava pensando direito. Achei que hoje ia ser um dia normal. Quando o sinal tocou, eu estava sem fome e nem quis descer, porque ninguém estava falando direito comigo. Fiquei na sala mesmo, terminando a redação que tinha que entregar no penúltimo tempo.

Só que o Gabriel e o Igor também ficaram. O Gabriel tirou um spray de grafite da mochila e foi até a porta dar uma espiada. Então jogou o spray pro Igor e disse que ia lá pras escadas ficar de olho se alguém chegava. O Igor subiu na janela e passou pro batente do lado de fora, então sacudiu o spray e começou a pichar depressa. Era maluquice fazer aquilo na escola. Ele ia levar uma suspensão, talvez até ser expulso. Pensei em sair da sala pra não me dar mal também, mas fiquei curioso e cheguei mais perto. Perguntei o que ele estava fazendo. Igor disse que estava se vingando. Ele já tinha desenhado um P e um U. Aí fez um T e depois um A. Perguntei quem era a puta, e ele falou o nome da minha Rapunzel. Falou o nome dela e riu.

Não entendi nada. Perguntei por quê. Aí o Igor, com aquela boca imunda dele, disse que a Rapunzel era uma puta safada. E falou assim mesmo, chamando ela de "Rapunzel". Fiquei chocado. Não era uma coisa só nossa? O Igor disse que a Rapunzel tinha chupado o pinto dele, transado com o Gabriel e com vários garotos da escola. E garotas. Disse que a Larissa contou que a Rapunzel tinha mexido com ela. Enfiado os dedos nela.

Não sei o que me deu, mas bem quando o Igor começou a fazer o S em cima do PUTA, pulei nele pra pegar o spray. O Igor me empurrou e revidei com uma cotovelada. Ele se desequilibrou um pouco. Aproveitei para socar a barriga dele. O Igor tropeçou para trás e tentou segurar em alguma coisa, mas não tinha nada ali. Os pés dele chutaram a lata de spray e eu escutei o grito se afastando enquanto o Igor caía, depois o estrondo horroroso e os gritos de quem estava no campão. Fiquei desesperado. Pulei para dentro e saí correndo da sala. Me tranquei na cabine do banheiro e fiquei chorando. Minhas mãos tremiam. Não tive coragem de sair até o faxineiro aparecer pra esvaziar o andar. As aulas foram suspensas.

Encontrei meu pai junto com outros no portão. Todo mundo estava muito assustado. Tinha uma van branca na área do campão onde o Igor estava caído. Ainda bem que não dava pra ver ele, por causa do plástico preto em cima. Quando a gente estava indo embora, a mãe do Igor chegou. Um carro parou na frente da escola e ela desceu, gritando e chorando. Outras mães não deixaram que ela se aproximasse do corpo. A mãe dele ficou lá, se contorcendo no chão, gritando que a vida dela tinha acabado, que queria morrer. Fiquei mal. Em casa, fiz como meu pai ensinou quando minha mãe morreu: pensar em coisas boas ligadas a quem se foi. Fechei os olhos e os nuggets que a gente comia na casa do Igor vieram à minha mente. Nuggets com ketchup. Com o tempo, fui ficando mais calmo. Mas o Igor teve o que mereceu.

23.

Contar tudo para a polícia era a coisa certa a fazer. Santiago sabia o endereço da casa de repouso. Se Victoria não estivesse lá, tia Emília teria recebido o envelope diretamente e lido aquelas páginas horríveis. *Ele sabia que eu estava lá*, Victoria concluiu. *Claro que sabia*. Era como se ele a acompanhasse o tempo inteiro.

Sem conseguir esvaziar a cabeça, ela deitou no sofá com um marca-texto e as folhas. De algum modo, seus pais haviam descoberto a sórdida relação de Sofia com Santiago. Victoria podia imaginar a reação deles. Era repugnante e absurdo, ainda mais dentro de uma escola. Se o assunto vazasse, era provável que a Ícone fosse obrigada a fechar as portas. Cortando relações com Sofia e impedindo que os dois continuassem a se encontrar, Mauro devia ter acreditado que o assunto estava resolvido.

Victoria sublinhou os trechos que confirmavam que Sofia era Rapunzel. Ainda que as casas do bairro fossem parecidas, a descrição da garagem feita por Santiago ("nosso cantinho") era bem próxima da casa de infância: mesa de madeira, teto preto, algumas luminárias. Sofia marcava seus encontros quando a família saía.

Após horas de leitura, Victoria estava cansada, mas precisava conversar com alguém. Falar em voz alta a ajudava a raciocinar. Colocou a perna mecânica, vestiu um jeans largo e uma blusa confortável e se penteou depressa na frente do espelho. Guardou o canivete suíço e as páginas do diário na mochila. Pegou um ônibus e desceu no aterro do Flamengo, próximo à praça do Russel. Andou as três quadras até o prédio de Georges. Então se deu conta de que não podia simplesmente aparecer no apartamento dele, e decidiu ligar quando chegou à rua do Catete. Georges atendeu no segundo toque.

"Onde você está?", ela perguntou.

"Indo pra casa. Fui visitar um amigo no hospital", ele disse. "Por quê? Aconteceu alguma coisa?"

"Novas páginas."

"Meu Deus, quando?"

"Hoje."

"Posso ir direto pro seu apartamento."

"Não precisa. Te encontro no seu."

Ela desligou. Como já estava perto, entrou em uma padaria para fazer hora. Sentou perto da vitrine e pediu um café duplo. De onde estava, conseguia ver a entrada do prédio de Georges, com arco de mármore esverdeado, e acompanhar o movimento da rua. Detestava aquela hora do dia, quando o comércio fechava as portas e todos se encaminhavam para sua respectiva toca após o expediente. Sentia certa vibração negativa no ar quando anoitecia.

Já estava ali fazia dez minutos quando viu Georges sair de um prédio comercial — o número 53 — e guardar algo na lateral da mochila. Victoria o reconheceu à distância pelo jeito de andar e mover os braços. Georges baixou o rosto e seguiu na direção do prédio dele, o 61. O que ele estava fazendo a quatro prédios de distância de onde morava, quando tinha acabado de dizer que estava saindo de um hospital? Ela tentou se acalmar. Devia haver uma explicação.

Pagou a conta e saiu, passando diante do prédio comercial para dar uma olhada. Decidiu entrar e seguiu até o porteiro, que estava com os olhos fixos em um jogo de futebol no celular. Acima da cabeça dele, havia uma tabela enorme com os números das salas por andar. Victoria a observou por alguns segundos, à procura não sabia do quê.

"Precisa de ajuda?", ele perguntou.

"Não, é que... Eu estava na padaria e acho que vi um amigo da época da escola saindo daqui", ela disse, com seu melhor sorriso. "Tentei ir atrás, mas não consegui. Um branquinho, de óculos, com o cabelo caindo na testa."

"O seu Georges?", o porteiro perguntou.

"Isso. Ele trabalha no prédio?"

"Alugou o 303 há uns meses..."

"Pena que não alcancei! Queria tanto falar com ele..."

"Acho que o seu Georges mora aqui perto, mas não sei onde."

"Ele vem todos os dias?"

"Não, só às vezes."

Ele a encarou, com ar de desconfiança:

"Como a senhora se chama? Quer deixar algum recado?"

Victoria recuou. Deu qualquer nome e foi embora. Não conseguiria tirar mais nada dele. De todo modo, já tinha respostas suficientes: não havia se tratado de uma visita a um amigo. Georges tinha alugado uma sala naquele prédio, na mesma quadra de onde morava. Para quê? Na calçada, atormentada, decidiu ligar para Arroz. O amigo atendeu depressa, mas ela não disse nada por alguns segundos, sem saber exatamente o que queria.

"O que aconteceu, Vic?", ele perguntou. "Você está bem?"

"Não sei... É só que... Se alguma coisa acontecer comigo, queria avisar que estou indo encontrar o Georges. O escritor do café..."

"Espera aí, Vic! Explica isso!" Arroz parecia nervoso como nunca. "Se está com medo, não vai encontrar esse cara!"

Sem responder, ela desligou e colocou o telefone no mudo. Não podia desistir agora. Tocou o interfone e tomou o elevador até o sétimo andar. Georges a esperava na porta, com a mesma roupa em que ela o vira (jeans e camisa social amarelo-claro), mas tinha tirado os sapatos.

"Acabei de chegar", ele disse, com um sorriso. "Você veio rápido!"

Victoria se esforçou para sorrir também.

"Peguei um táxi."

Ela entrou na casa dele e passou os olhos pela sala simples. Sobre o sofá, estava a mochila. Georges se aproximou e Victoria virou o rosto para que ele só pudesse beijar sua bochecha.

"Senta aí um instante", ele disse, e foi para a cozinha.

Ela limpou a fina camada de saliva do rosto. Não se sentia nem um pouco confortável ali. De repente, tudo parecia montado para construir a imagem de um escritor meio sem grana, disposto a começar do zero. Era verdade? Victoria tentou recordar a primeira vez que Georges tinha aparecido no Moura. Achava que havia sido no início do ano.

"Acabei de passar o café", Georges disse, voltando com duas xícaras e oferecendo uma a Victoria. Ele deu um gole e deixou a sua na mesa de centro para acariciar o rosto dela. "Estava morrendo de saudades."

"Eu também. Liguei pra você assim que li as páginas."

"Fez bem."

"Seu amigo está bem?", ela perguntou, casualmente.

"Sim, sim. Foi só uma apendicite."

Victoria não conhecia nenhum amigo de Georges. Mesmo depois de meses, ele nunca mencionara nenhum. Vivia se lamentando que desde que voltara da Europa não tinha se aproximado de ninguém. Aquilo tornava sua mentira ainda mais fraca.

"O que tem no diário dessa vez?", ele quis saber.

Victoria estendeu as folhas, sem querer levantar suspeitas.

"Tenho certeza de que Rapunzel é Sofia, a irmã do meu pai", explicou. "Ela abusava dos alunos na garagem dos fundos da minha casa. Meu pai descobriu e cortou relações com ela, que acabou fugindo para os Estados Unidos."

"Meu Deus!", Georges disse, parecendo realmente surpreso.

"Tem mais: Santiago empurrou Igor do quinto andar numa briga. Não foi suicídio."

"Está escrito aqui?"

Ela fez que sim. Georges mergulhou nas folhas de caderno. Pouco depois, levantou os olhos para Victoria.

"Bebe seu café ou vai esfriar."

Ela pegou a xícara e fingiu dar um golinho. Não ia aceitar nada que viesse dele. Talvez fosse exagero, mas não podia arriscar. Enquanto Georges lia, com os cotovelos apoiados nas pernas e o queixo em uma das mãos, parecia inofensivo. Por que estaria mentindo?

Victoria levantou e deu a volta na poltrona, se colocando atrás dele para acompanhar a leitura. Quando Georges chegou ao trecho em que Santiago entrava na garagem com Rapunzel, ela se inclinou para apontar uma frase e deixou a xícara escorregar do pires, derrubando o café no ombro dele. Georges se levantou depressa, sentindo o café quente queimar a pele, e deixou as folhas de lado para desabotoar a camisa. Victoria se apressou em pedir desculpas.

"Não tem problema." Ele usou a camisa para se enxugar. "Pelo menos não molhou as folhas. Já volto."

Victoria tinha pouco tempo. Correu até o sofá e abriu o zíper da mochila. No compartimento maior, encontrou o laptop, um estojo e um guarda-chuva preto. Na lateral direita, uma garrafinha de água. Na lateral esquerda, duas chaves — uma tetra e outra comum —, presas a um chaveiro simples. Escondeu as chaves no bolso traseiro do jeans e fechou a mochila. Então recolheu as xícaras e deixou-as na cozinha, onde se serviu de um copo d'água. Georges voltou de bermuda e camiseta lisa.

"O que pretende fazer agora?", ele perguntou.

"Não sei ainda... Talvez ir à polícia. Com essas páginas, eles podem me ajudar a encontrar Sofia."

Ela precisava ir embora dali depressa, antes que Georges sentisse falta das chaves.

"Só queria sua opinião..." Ela enfiou a mão no bolso para se certificar de que o canivete continuava lá.

"Está tudo bem, Vic? Você parece... diferente."

"Só estou com um pouco de pressa. Prometi a tia Emília que passaria lá hoje. E está ficando tarde."

Georges foi na direção dela, parecendo desconfiado.

"Por que não liga e avisa que vai amanhã?"

"Prefiro ir hoje."

Georges suspirou. Ele a fez jurar que não tomaria nenhuma decisão precipitada. Victoria assentiu, controlando a vontade de sair correndo. Combinaram de se encontrar no dia seguinte, quando ela saísse do trabalho. Ao deixar o prédio, foi tomada por um alívio enorme. Olhou para a janela de Georges, mas ele não estava lá. Só por garantia, foi até a esquina antes de dar meia-volta e seguir para o prédio comercial.

O porteiro do turno da noite lia a Bíblia sobre a bancada. Confiando que centenas de pessoas entravam e saíam dali todos os dias, Victoria apertou as alças da mochila e seguiu pelo vão acarpetado na direção dos elevadores, dando apenas boa-noite ao passar por ele, que mal levantou os olhos. Nervosa, ela subiu para o terceiro andar. O corredor era estreito e sem personalidade, com as paredes bege e um largo tapete de borracha preta. Na maioria das portas, havia o número da sala e uma plaquinha com identificação, como BAYÃO SERVIÇOS CONTÁBEIS ou DRA. LUIZA SAMPAIO — CIRURGIÃ-DENTISTA. No 303, havia apenas o número. A porta era comum, de madeira, sem olho mágico. Com as mãos trêmulas, Victoria pegou as chaves no bolso e abriu a porta devagar.

À primeira vista, o espaço era muito pequeno, uma espécie de antessala sem janelas. Contava apenas com uma poltrona e algumas revistas. Mas havia outra porta adiante. Victoria encostou a porta de entrada e seguiu até ela. Por um segundo, imaginou Georges se materializando atrás dela, com a expressão indignada e o dedo em riste. Olhou por cima do ombro, mas não havia ninguém.

O outro cômodo era um pouco maior. Havia muitas caixas de papelão empilhadas e um armário embutido ali. Na extremidade oposta, abaixo da janela, havia uma mesa metálica com gavetas e uma cadeira de rodinhas. Ela caminhou pelo piso de sinteco, desviando das caixas. Quase tropeçou em um monte de papéis e precisou acender a lanterna do celular para seguir em frente. Viu que Arroz havia ligado mais de dez vezes e enviado quase uma centena de mensagens.

Sobre a mesa, encontrou diversos fichários, além de blocos de notas, canetas, um peso de papel colorido e um computador antigo, com um monitor enorme. Victoria abriu o primeiro fichário. Logo no topo, havia uma foto dela saindo do Café Moura, de cabeça baixa, vestindo jeans e blusa preta. Havia sido tirada com bastante zoom. As fotos seguintes acompanhavam seus movimentos indo do centro até seu prédio, na Lapa. Parecia o trabalho de um detetive particular de filmes noir. Ela se sentou para investigar as outras pastas. Havia fotos dela encontrando Arroz, visitando a tia-avó na casa de repouso e entrando no prédio onde ficava o consultório do dr. Max. A cada imagem, era como se uma parte dela fosse arrancada a dentadas — um lobo feroz abocanhando seu espírito.

Em outra pasta, viu matérias de jornal sobre o caso do Pichador e CDs etiquetados: "Fantástico, 8/2002", "Cidade Alerta, 7/2004", "Retrospectiva, 12/1998". Na gaveta, fotos datadas dos últimos seis meses, tudo organizado com post-its coloridos e clipes, além de páginas de texto impresso.

Quando peço algo do cardápio, ela não me encara e recusa qualquer aproximação física. É curioso que não tenha intimidade com qualquer outra figura feminina, tanto no trabalho como fora. As outras garçonetes que puxam conversa com ela são imediatamente repelidas. Em conversa comigo, as funcionárias Ellen Dantas e Margot Camargo definiram Victoria como esquisita. Segundo Margot, Victoria não tem impulso sexual. "Duvido que tenha transado ou sequer beijado na boca", a colega afirma.

Victoria folheou um bloco com anotações em caneta vermelha. *Borderline?*, estava escrito na primeira página. Na seguinte, repleta de rasuras, havia uma lista.

Autopercepção negativa
Sentimentos crônicos de vazio
Insônia?
Perda de memória?
Raiva intensa e inapropriada ou dificuldade em controlá-la
Acessos psicóticos
Traços histéricos

Muitas páginas depois, numa letra apressada, um comentário chamou sua atenção:

Victoria se esforça para esconder o evidente problema motor ao circular pelo salão do café. Parece acreditar que ninguém percebe seu caminhar sutilmente irregular.

"Victoria?"

Seu coração disparou, mas ela reprimiu o grito. Era Georges chamando da antessala, um tanto irritado. Ela tirou o canivete do bolso, mas se sentiu patética. Jamais conseguiria se defender dele com aquilo. Os olhos desesperados buscaram algo sobre a mesa. Agarrou o peso de papel e recuou depressa. Por que não tinha suspeitado antes? Georges era Santiago, parecia óbvio! As idas constantes ao café e a aproximação dele não haviam sido por acaso. Era tudo calculado para... para... para quê?

A maçaneta girou enquanto ela erguia o braço. Mal Georges se projetou para dentro, Victoria desceu o peso de papel na cabeça dele com toda a força. O impacto machucou a mão dela, mas fez o corpo dele perder sustentação. Georges ainda tentou dizer alguma coisa, mas Victoria desferiu outro golpe no queixo e um na bochecha. A raiva era tanta que ela só parou quando o peso de papel escorregou e rolou até a perna de Georges, caído torto, imóvel e com o rosto coberto de sangue.

Em desespero, ela limpou as mãos na roupa, seguiu até a janela e se largou no chão, sentindo um aperto que ia da ponta do pé de plástico até a virilha. Sem conseguir respirar, com o coração acelerado, passou os olhos pela sala sufocante. Não podia desmaiar. Não com Georges ali... Daquela distância, ela não conseguia ver se ele estava vivo, e não tinha coragem de se aproximar. Guardou os fichários, fotos e páginas impressas que conseguiu pegar na pressa. Tudo serviria de prova contra ele. Com a mochila abarrotada, correu até a porta, evitando encostar no corpo inerte. Imaginou Georges se levantando e agarrando o pé dela, arrancando um pedaço da panturrilha com a boca. *Terminando o serviço depois de vinte anos*, ela pensou.

Ofegante, saiu da sala sem olhar para trás. O elevador demorou a chegar e o corredor parecia vazio demais para ficar esperando. Resolveu tomar as escadas. A perna invisível, ardendo em chamas, atrapalhava. Apoiada no corrimão, olhou para trás ao escutar um barulho. Alguém descia as escadas? Esforçou-se para ir mais rápido. No térreo, jogou o corpo contra a porta, caindo no chão. O porteiro ficou de pé no susto. Victoria recolheu as folhas, levantou e saiu correndo o mais rápido que podia.

O ar da noite não ajudou em nada. Os carros que passavam zunindo quase estouravam seus tímpanos. Na esquina seguinte, ela encontrou um boteco e entrou. Estendeu uma nota de cinquenta (a única que restava na carteira) e pediu uma garrafa de vodca. Assim que o atendente entregou a garrafa, ela abriu e deu um gole. A bebida vagabunda desceu ardendo e deu um alívio imediato na perna invisível. Victoria saiu bebendo do bar. Aos poucos, seu corpo e sua mente entravam num maravilhoso estado entorpecente, que calava mágoas e paralisava gestos.

Seguiu em frente, arrastando a perna esquerda e se apoiando nos muros e grades imundos. Uma folha escapando da mochila, amassada entre os dois zíperes, acabou rasgando quando Victoria se encostou em uma parede áspera. Ela se agachou para pegar o pedaço, sem querer deixar nada para trás. Caiu de bunda no chão, encarando as letras embaralhadas. Leu em voz alta, como quem declama um poema:

"Foi praticamente impossível encontrar registros dos dias de alcoolismo de Victoria. Encontrei um único boletim de ocorrência, datado de 11 de outubro de 2015, quando um síndico de um prédio

de Ipanema chamou a polícia porque ela dormia no jardim, completamente bêbada."

Ela se apoiou na lataria de um carro para ficar de pé e voltou a beber, tropeçando pela rua do Catete abraçada à garrafa. Sabia que não aguentaria muito tempo, mas não tinha problema. Não pretendia ir para casa nem para a delegacia. Só queria aquela letargia calmante para sempre. O fim de todos os problemas.

"Foda-se Sofia, foda-se Santiago, foda-se todo mundo", Victoria gritou, sentindo a liberdade explodir em seus pulmões. Ao atravessar a rua na direção da praça Paris, quase foi atropelada por um táxi, que freou a tempo. A buzina não a fez caminhar mais depressa. Na rua Augusto Severo, travestis e prostitutas entre os carros estacionados a observaram vagar como um trapo. Num declive, ela voltou a tropeçar. Tonta, encolheu-se na calçada, bicando a garrafa de vodca como uma mamadeira. Pescou mais uma anotação da mochila.

"*Após a tragédia, Victoria estudou no colégio Positivo até os doze anos, quando entrou para o Pedro II do centro, próximo de onde morava com Emília, no bairro Santo Cristo. A documentação dos anos escolares é pouco relevante: notas medianas em quase todas as matérias, com algumas vermelhas em matemática. Victoria se recusava a tirar fotos na escola. Conversando com professores da época, a maioria se lembra dela mais pela tragédia do que por sua personalidade.*" Ela parou um instante para beber o último gole. "*Em sala, Victoria era reclusa, dispersa e irritadiça. Jamais apareceu em nenhum encontro de ex-alunos. Concluiu os estudos num supletivo. Ao que tudo indica, nunca teve amigos ou namorados. Sempre fez questão de se manter invisível.*"

Bêbada. Bêbada e invisível. Victoria lambeu o bico da garrafa e, com raiva, a bateu contra a parede. Ficou apenas o gargalo em sua mão, que ela aproximou do punho esquerdo. Um simples rasgo extravasaria o ódio, acabaria com tudo. Talvez até a levasse à sua família. Sem hesitar, Victoria cravou o vidro no braço, mas não sentiu nenhuma dor. Tentou girar o caco para aprofundar o corte, mas não tinha forças. Nem aquilo conseguia fazer direito. Achou graça e riu baixinho, enquanto assistia ao sangue vazar entre seus dedos e gotejar no chão. Minutos depois, o riso e o choro calaram e só restou um ronco profundo.

Escondido entre os carros, observo Victoria no chão e sinto pena, mas também raiva. Por que as coisas precisam ser desse jeito? Por um instante, tento ficar otimista. Talvez o que aconteceu sirva para repensar os próximos passos e agir com cautela. Quando ela quase foi atropelada, pensei em intervir. Victoria não pode colocar tudo a perder.

Depois foi o caco de vidro... Se ela fosse capaz de se matar, eu teria que impedir. Agora, ela dorme. E ronca alto, o que me deixa seguro para chegar mais perto. Olho para os lados, para a rua quase deserta. Ninguém nos observa. Com a ponta do sapato, cutuco a bunda e as costas dela. Seu corpinho sacoleja, mas não faz menção de despertar. Perfeito. Retiro o spray da mochila, me agacho e agito.

O som da bolinha de metal no interior da lata reverbera. Me posiciono de modo que Victoria não me veja se abrir os olhos de repente e aproximo o bico da palma da mão dela, então pressiono a válvula. É poético o funcionamento de uma lata de grafite: tinta e gás liquefeito se misturam e se expandem criando aquele baru-

lhinho gostoso. Tssss. Pinto os dedos pequenos, os braços finos e ossudos e o pescoço, cobrindo-a por inteiro, como uma boneca de porcelana. Depois, sigo para a parte inferior do corpo.

Quando estou acabando, ela mal parece ter forma humana. Lembra mais os restos de uma grande fogueira de festa junina. Ainda falta o mais arriscado: o rosto. Mesmo bêbada, Victoria pode acordar e me reconhecer. Mas preciso fazer isso. Ela merece ser punida. Por tudo o que fez e tem feito comigo. Com cuidado, picho o queixo, a boca, as bochechas, os cabelos e a testa, até tudo ficar completamente escuro. Por um instante, ela ameaça acordar. Tssss. Tssss. Nem o som nem o cheiro fazem com que desperte. A camada de tinta se acumula no rosto e escorre pelo meio-fio.

Parece até uma obra de arte.

24.

Água caía sobre o rosto de Victoria quando ela abriu os olhos. Zonza, sugou o ar como quem se recupera de um afogamento. *Georges está morto*, foi seu primeiro pensamento. *Eu o matei*. Estava deitada em uma maca baixa e encarava o teto branco. Tudo ao redor era branco: as paredes, o lençol, as roupas, os aparelhos. Mas não o batom da mulher de uniforme debruçada sobre ela, que piscou e recuou.

"Que bom que acordou", a enfermeira disse, livrando-se do pano imundo que segurava. "Vou chamar a médica."

O cérebro de Victoria latejava. O gosto de algo velho e pastoso lhe dava náuseas. Tinha dores por todo o corpo, especialmente na cabeça, nos seios e na barriga. Duas pessoas se aproximaram. Arroz e... Ela demorou alguns segundos para reconhecer o homem de cabeça raspada, camisa justa e braços definidos cobertos de tatuagens enormes. Era Jackson, seu vizinho de porta. Ela abriu a boca e expulsou as palavras por entre os lábios ressecados:

"Há quanto tempo estou aqui?"

"Algumas horas", Arroz respondeu, sério.

"Não lembro o que aconteceu."

"Milagre seria lembrar", Jackson disse. "Você estava péssima."

Victoria acompanhou o olhar dele e viu seu punho esquerdo enfaixado. Por um instante, voltou a sensação dolorosa do caco de vidro cravado na carne. Ela tinha mesmo feito aquilo? Arroz chegou mais perto.

"Como está se sentindo?"

Péssima, Victoria quis responder. Em vez disso, perguntou:

"Como vim parar aqui?"

"Fiquei assustado quando você ligou. Eu não sabia onde o Georges morava, então fui direto pro seu prédio, enquanto tentava falar com você", Arroz disse. "Fiquei batendo na porta. Aí o Jackson chegou e pedi ajuda."

"A gente saiu pra te procurar pela Lapa. Por sorte, uma amiga minha tinha te visto. Ela faz ponto ali na praça Paris", Jackson explicou. "Nunca imaginei que você fosse dessas. Sempre tão quietinha."

Arroz fuzilou Jackson com os olhos, então disse:

"Você estava tremendo, com o braço sangrando. Preferi te trazer pro hospital. O que aconteceu, Vic?"

Ela não sabia dizer. Manteve a cabeça recostada no travesseiro alto. Tinha uma imagem fixa em mente: Georges caído e ensanguentado.

"Matei o Georges", disse, mais para si mesma.

"O quê?"

Tentando organizar os pensamentos, Victoria contou a eles tudo de que se lembrava: as chaves na mochila, o prédio comercial, as fotos e as páginas impressas... A história ia ficando turva conforme ela descia as escadas do prédio e terminava antes mesmo de chegar ao térreo. Para onde tinha ido depois? A dor de cabeça e o amargor no céu da boca deixavam claro que havia bebido — e muito. Mas Victoria não conseguia se lembrar de ter comprado a bebida, muito menos de ter dormido na rua.

"Cadê minha mochila?", ela perguntou, ansiosa.

"Guardei", Arroz disse.

"Você precisa chamar a polícia. O delegado Aquino, da décima segunda delegacia... Ele sabe do meu caso."

"Eu também sei, Vic...", Arroz disse. Ele baixou os olhos e pigarreou. "Sobre seu passado. Depois que você contou que estava sendo ameaçada, eu tinha que fazer alguma coisa... Investiguei sua vida e descobri tudo na internet. O assassino te procurou? É ele que está te ameaçando?"

Arroz não tinha como saber do diário ou da pichação na parede do quarto, mas já era o bastante para deixá-la envergonhada. Mesmo com ressaca, a vontade de beber voltou. Victoria recolheu os braços, forçando os cotovelos contra o colchão para se levantar, mas o cateter em sua mão deu uma fisgada, e ela se conteve.

"É melhor você não se mexer", Jackson disse.

"O delegado precisa saber", ela argumentou. "Acho que Georges é Santiago."

Arroz arregalou os olhos.

"Como assim?"

"Pega minha mochila."

Ele se afastou da maca no mesmo instante em que a porta se abriu. Era a médica, acompanhada da enfermeira de antes. Em movimentos automáticos, colocou uma lanterninha diante dos olhos de Victoria, pediu que abrisse bem a boca e mediu sua pressão.

"Você está desidratada, mas o soro deve resolver", a médica disse. "O resultado de alguns exames só sai no final da manhã, talvez no início da tarde. Vou te passar um sedativo e a enfermeira vai terminar de te lavar."

"Me lavar?"

Meu Deus, preciso de uma vodca, ela pensou, estudando os olhos de peixe morto da médica. Arroz se aproximou com a mochila jeans nas mãos.

"Vic", ele disse, cuidadoso. "Você não se lembra de nada do que aconteceu depois que começou a beber? Ninguém se aproximou de você na rua?"

Ela balançou a cabeça em negativa, sentindo pontadas na testa.

"Por quê?"

Arroz só apertou as alças da mochila. Jackson encarava o colo dela, como um assediador ousado. Victoria se surpreendeu ao olhar também e notar uma coloração acinzentada em seu peito. Então sentiu o peso das expressões faciais e levou as mãos às bochechas. A pele estava plástica, com crostas de tinta seca. Foi como se todo o seu sangue abandonasse o corpo. Ela girou o tronco para sair da maca.

"Calma, calma", a médica disse. "Você vai se machucar."

"Está tudo bem", Arroz garantiu.

Mas Victoria não escutou. Apoiou-se nos cotovelos e tomou impulso para encarar o reflexo no vidro da janela. Seu rosto trazia resquícios da tinta que a enfermeira estava limpando. Parecia uma carranca monstruosa. Desesperada, ela arrancou o cateter e jogou as pernas para fora da maca. A enfermeira e a médica a seguraram, empurrando-a para que continuasse deitada. A falta de ar a impedia de se defender. Quando abriu a boca para gritar, a pele se esticou e a tinta seca se desfez, caindo em pedacinhos sobre o uniforme da enfermeira que se aproximava com a seringa. Victoria não queria dormir, mas seus olhos pesaram antes mesmo que todo o sedativo fosse aplicado.

* * *

Era pior que um pesadelo. Beli conversava baixinho com tia Emília, sentada em uma cadeira ao lado da maca. Arroz estava do outro lado, contando pela milésima vez os detalhes de como a tinha encontrado caída entre dois carros no meio-fio, coberta de tinta e com o braço sangrando. Aos pés dela, o dr. Max e Aquino escutavam atentamente. Vez ou outra, o delegado fazia anotações ou se aprofundava em algum detalhe. Não, nem Arroz nem Jackson tinham visto alguém suspeito nas redondezas. Sim, a mochila estava próximo a ela. Sim, a tinta já estava seca quando tinham chegado.

Fazia mais de meia hora que conversavam, olhando-a preocupados, mas também condenando-a. Victoria se sentia exposta. Sua intimidade tinha virado assunto público, um inquérito policial em que todos tinham algo a dizer. Enquanto as vozes se sobrepunham, ela mal tinha espaço para o luto. Onde estava com a cabeça quando começara com aquilo? Como tinha acreditado por um segundo que poderia ter um namorado, como uma pessoa *normal*? Sentia-se péssima por ter se apaixonado por Georges.

Quando Arroz terminou seu relato, o delegado folheou os papéis que Victoria tinha na mochila e fez mais algumas perguntas. Ela não via razão para tanta repetição. Assim que ligara para Aquino, Arroz havia contado sobre o ataque a Georges e a teoria de Victoria de que ele era Santiago. O delegado chegara ao hospital pouco depois e havia esperado Victoria acordar para dizer o endereço do prédio comercial, então mandara uma viatura ao local. Enquanto aguardavam, o delegado insistia em cavoucar o assunto, dissecá-lo, como se algo inédito pudesse surgir de repente. Se Georges estivesse morto, quem a tinha pichado? As coisas não encaixavam.

Aquino leu um texto de Georges em voz alta:

"Os dois visitam apartamentos anunciados para alugar ou vender. De início, cogitei que pretendessem alugar um imóvel juntos, mas ao que tudo indica se trata apenas de uma brincadeira, uma vigilância da vida cotidiana que, sem dúvida, caracteriza o esforço desesperado de Victoria em evitar o abandono, real ou imaginário." Ele fez uma pausa para perguntar: "De quem mais ele está falando?"

O rosto de Victoria corou.

"De mim", Arroz disse. "A gente faz isso, mas..."

O delegado continuou lendo:

"Diante da abordagem do amigo, Victoria recuou aos gritos. Empurrou-o e saiu mancando pela calçada. A manifestação de raiva intensa é inédita, mas confirma a impossibilidade de receber afeto. Victoria é pura emoção, zero razão. Fez bico e correu como uma criança. Suas relações são marcadas por uma alternância entre extremos de idealização e desvalorização."

"Acho que o senhor não precisa ficar lendo essas coisas", o dr. Max comentou.

"Tem um detalhe... Um detalhe que me incomoda", Victoria disse. "No bloco de notas, a letra é diferente. Não é a mesma do... do caderno de Santiago."

"Ele pode ter mudado a caligrafia ao longo dos anos."

"Ele é Santiago! Não tenho dúvida disso. Esse rapaz é um desequilibrado", tia Emília disse. "Destruiu nossa família, matou o próprio pai e agora faz isso com você. O que mais ele quer?"

A pergunta ficou sem resposta. Segundos depois, o celular do delegado tocou. Aquino deixou os papéis sobre o lençol e se afastou para atender. Durante os poucos minutos em que ficou fora do quarto, tia Emília aproveitou para fazer um pequeno sermão sobre como a sobrinha-neta não devia ter escondido dela o que estava acontecendo. O dr. Max concordava com ela.

"Os policiais entraram no escritório e no apartamento",

Aquino disse, ao voltar. "Encontraram muito material, inclusive o computador dele. Estamos recolhendo tudo para análise. É nossa chance de descobrir alguma coisa."

"E Georges?"

"Não estava em lugar nenhum. Segundo o porteiro, ele saiu do prédio poucos minutos depois de você, sangrando. Ele ofereceu ajuda, mas Georges negou."

Victoria ficou aliviada: pelo menos ela não era uma assassina. Mas logo o alívio se transformou em outra coisa. Era bem provável que Georges a tivesse pichado.

"O suspeito está desaparecido", o delegado continuou. "Não encontramos documentos nem dinheiro. Até o momento, não há quem confirme sua identidade. Você tem alguma foto com ele?"

Georges tinha dito que odiava aparecer em fotografias. Era uma das coisas que os dois supostamente tinham em comum.

"Não", ela respondeu, angustiada.

"Vou pedir para dois policiais te levarem para casa, quando for liberada", Aquino disse. "Por favor, evite ficar sozinha ou sair à noite nos próximos dias."

"Vou ficar com ela", tia Emília disse.

"Eu também", o dr. Max e Arroz disseram, quase ao mesmo tempo.

"Ótimo. É bom ter amigos por perto", Aquino disse. "Enquanto Georges não aparecer, você precisa tomar cuidado. A gente não sabe quem ele é, nem do que é capaz agora que foi descoberto."

25.

Nos dias seguintes, Victoria não saiu de casa. O mundo lá fora parecia ameaçador. Todas as pessoas eram cruéis, interesseiras e potencialmente perigosas. As noites eram longas e maldormidas, com pesadelos em que Santiago aparecia. Algumas vezes, ele não tinha rosto. Outras, assumia os traços de Georges, ou tinha a gargalhada de Arroz, a gesticulação exagerada de seu Beli. Era como se fosse um mosaico de vários homens. Victoria despertava gritando, ofegante, e era acudida por tia Emília, que havia voltado a morar com ela no quarto e sala enquanto "a situação não se resolvesse". Aquilo poderia se estender indefinidamente, mas ela não tinha forças para argumentar. Era bom ter alguém por perto, mesmo que não conseguisse estabelecer nenhum diálogo mais significativo com a tia-avó: sempre que começavam a conversar, Victoria se sentia processada, julgada e condenada.

Recebia visitas semanais de Arroz — que evitava falar de assuntos difíceis — e do dr. Max — que insistia neles. Tia Emília tinha uma implicância declarada com Arroz, e vivia dizendo que o amigo era perturbado, sem noção e obcecado por Victoria. Eles passavam boa parte do tempo conversando sobre coisas sem importância ou observando pessoas pelo telescópio e inventando histórias para elas, como costumavam fazer. O jogo de imaginação a ajudava a escapar um pouco da realidade. Arroz passara a vestir roupas menos infantis e havia cortado os cabelos. Fazia piadas sobre as caretas de tia Emília quando o via chegar. Victoria gostava que ele a tratasse normalmente. Os olhares preocupados da tia-avó e do dr. Max — para quem a mulher só tinha elogios — lhe davam nos nervos.

O psiquiatra havia trocado a medicação dela por uma mais forte, que deixava seus sentidos aflorados, ainda que sua mente ficasse dopada. Frequentemente, os ouvidos zuniam por causa dos sons que chegavam da rua e a vista ficava irritada com a luz do sol, obrigando Victoria a fechar todas as cortinas e se proteger sob as cobertas. Nos raros momentos em que o pensamento ganhava contornos sólidos, ela enfrentava o terror real do que tinha acontecido. Havia beijado Georges e ido para a cama com ele. Pior, tinha confiado nele, contado detalhes que nunca contara a ninguém. E agora Georges estava desaparecido, e ela nem sequer sabia quem ele era. Em alguns momentos, Victoria fantasiava sair de casa para investigar, seguir seu rastro, mas nem tinha ideia de como ou por onde começar. A investigação do delegado Aquino não tinha avançado. Parecia um tormento sem fim.

Em um domingo, Arroz aproveitou que tia Emília havia saído para almoçar com seu Beli e contou que conseguira o contato da livraria onde Georges dizia ter trabalhado em Londres. Ele entregou a ela um papel com o número de telefone.

"Ele mentiu", Arroz explicou. "Conversei com uma funcionária. Alguns brasileiros já trabalharam ali, mas nenhum se chamava Georges. Passei uma descrição física dele, mas ela não pareceu reconhecer. Você pode ligar também, se quiser."

Ela não sabia falar inglês. Agradeceu a Arroz por ter ligado.

"Pedi que ela me enviasse fotos dos funcionários brasileiros por e-mail", ele continuou. "Mas não acho que vá dar em nada. Não sei mais o que fazer."

"Não tem problema", Victoria respondeu, tentando esconder a frustração. "Você já fez demais..."

"Sinto muito por isso tudo, Vic. De verdade. Ele não merecia sua confiança."

Ela entendeu o que Arroz estava dizendo nas entrelinhas: *eu merecia*. Pensando agora, era mesmo absurdo que ela tivesse confiado do dia para a noite num sujeito que conhecera no café e aberto toda a sua vida para ele.

"Você ainda gosta dele?"

A pergunta a irritou.

"Não. Óbvio que não."

"Que bom", Arroz disse. Ele saiu da cadeira e se sentou no sofá ao lado dela. Segurou suas mãos e a encarou com os olhos apertados. "Gosto de você, Vic. Gosto de cuidar de você."

"Arroz, eu..."

"Sei que você só me enxerga como amigo. Mas isso pode mudar, não?"

Ela estudou as marcas no rosto dele, que entregavam a idade, o nariz protuberante e os olhos se movendo o tempo todo, nervosos. Victoria jamais sentiria atração por ele, mesmo por aquele novo Arroz, mais maduro. Enxergava nele alguém que gostaria de ter por perto a vida inteira, mas apenas como amigo.

"Não precisa ter pressa", ele insistiu. "Quem sabe com o tempo..."

"Não", ela disse. "Preciso que você entenda. Não quero ficar te iludindo."

"Eu entendo."

Ele foi embora logo depois, quando tia Emília voltou do almoço. A conversa deixara Victoria cansada, como se tivesse corrido por horas, e ela foi se deitar. Enquanto não pegava no sono, ficou na cama com o celular nas mãos, observando pelas câmeras tia Emília fazendo palavras cruzadas no sofá. Por algum motivo, aquilo a acalmava. Já estava anoitecendo quando ela se levantou, tomou um banho e foi para a janela. Sentou-se na banqueta e mirou o telescópio.

Na esquina, avistou a viatura da polícia militar que Aquino havia designado para protegê-la. Daquela distância, ela enxergava os dois policiais no banco dianteiro jogando cartas e rindo enquanto esperavam as horas passarem. Era horrível a sensação de estar sendo vigiada. Tinha a impressão permanente de que algo ruim aconteceria a qualquer momento. E se via de mãos atadas, incapaz de se proteger. Afinal, o que havia acontecido com Santiago? Por que ele desaparecera desde a madrugada em que a tinha pichado? Victoria não conseguia acreditar que ele havia desistido.

Às vezes, seu pensamento voltava a Sofia. Embora a vontade de enfrentar aquela história tivesse diminuído, sua indignação continuava a mesma. Ela havia mencionado o assunto nas sessões com o dr. Max, que agora aconteciam na sala do apartamento. O psiquiatra andava insistindo que conversassem sobre o medo dela. Ou, segundo ele, o medo do medo. Perguntava exatamente o que Victoria temia, mas ela não conseguia encontrar uma resposta. Era Santiago, Sofia, Georges, tudo ao mesmo tempo, mas havia algo mais, algo impossível de se colocar em palavras. Em casa, ela simplesmente se sentia mais segura.

"Seu medo de sair na rua vem de um problema de confiança", ele continuou. "Você confiou em Georges e se machucou. Acha que Santiago está lá fora só esperando uma chance..."

"Às vezes, tenho certeza de que ele só quer me enlouquecer. E está conseguindo. Parece que me deixou viva para se vingar da minha família através de mim... por ter tirado Sofia dele."

"Enlouquecendo como?"

"Acordo já esgotada. Sento no telescópio e fico olhando lá fora, as janelas dos vizinhos... Quando percebo, as horas passaram."

O psiquiatra deixou o silêncio se estender. Voltou-se para ela, inclinando o corpo de modo discreto.

"E Arroz?"

Ela baixou os olhos, sem responder.

"Ele tem te visitado?"

"Às vezes..."

"Tentou te beijar de novo?"

"Não, não. Ele só..."

"Talvez você devesse manter certa distância", o psiquiatra disse. "Sua tia-avó comentou que vocês brigaram."

Victoria achava errado que tia Emília tivesse um contato direto com seu psiquiatra. Continuou calada.

"Você não sabe quase nada sobre ele...", o dr. Max continuou.

"O que está insinuando?"

"Que essa amizade, assim como os hábitos que você cultiva por causa dela, podem ser tóxicos. Foi com Arroz que você passou a visitar apartamentos ocupados, foi ele quem te emprestou o telescópio." O dr. Max se ajeitou no sofá, chegando um pouco mais perto. Tocou a perna de Victoria. "Você tem que ficar junto de pessoas em quem pode confiar, como sua tia-avó. E eu."

A sessão durou mais quinze minutos. Victoria ficou aliviada quando ele foi embora.

26.

"Georges não é Santiago."

Victoria tinha se arrastado durante toda a manhã, com enxaqueca. Tia Emília lhe entregara copos d'água e comprimidos cujos nomes ela não sabia. Minutos depois, o dr. Max tinha chegado para a sessão do dia, e a tia-avó aproveitara para repetir o sermão de que ela precisava sair de casa e voltar ao trabalho. Então a campainha havia tocado. Era o delegado Aquino, com aquela notícia.

"Tem certeza?", o dr. Max perguntou.

"Chegaram os resultados da perícia do computador", o delegado continuou. "O nome dele é Georges Abnara. Fez mestrado em jornalismo investigativo na Inglaterra. Voltou ao Brasil há dois anos."

Mesmo contra sua vontade, Victoria ficou um pouco mais aliviada. Ele não tinha mentido sobre *tudo*. Tia Emília se levantou da cadeira e, com ajuda da bengala, caminhou até o sofá para ficar mais perto do delegado.

"Pelo que averiguamos, ele se especializou em jornalismo

criminal, e estava interessado em tratar de casos célebres do Brasil. Mas seu interesse não era pelos assassinos, e sim pelas vítimas. Por isso começou a frequentar o café. Para se aproximar de você", Aquino disse, ainda de pé. Movia as mãos ansiosamente. "Um amigo antigo de Georges nos informou que ele era obcecado pelo seu caso. Pretendia escrever um livro."

"Então aquelas páginas que encontrei..."

"Era a pesquisa dele. Mesmo não sendo Santiago, não descarto a possibilidade de que foi Georges quem pichou sua parede e fez tudo isso."

"Por que ele faria essas coisas?"

"Para te trazer de volta a essa história, para revirar o passado..."

O olhar dela encontrou o do psiquiatra. *Santiago é sua compulsão.*

"E a morte de Átila?"

Aquino deu de ombros.

"Ainda não sabemos."

"Algum sinal do paradeiro de Georges?", o dr. Max perguntou.

"Desde o ocorrido, ele não fez nenhuma movimentação na conta bancária nem acessou a caixa de e-mails."

"Como alguém desaparece assim?", tia Emília disse. "É tudo tão estranho."

"Ele também não usou o celular. E parece que não tinha cartão de crédito."

Outro detalhe sobre o qual não mentiu, Victoria pensou.

"Talvez esteja escondido, usando dinheiro vivo", Aquino disse. "Se for o caso, vai aparecer mais cedo ou mais tarde."

"Se Georges não é Santiago, que motivos teria para se esconder?", tia Emília insistiu.

Aquino suspirou.

"Bom... Também mandei verificar se algum corpo com o perfil dele foi encontrado nas últimas semanas. Por enquanto, nada."

A tia-avó e o dr. Max o bombardearam com mais perguntas. Aquino deu respostas breves, ansioso para ir embora. Recusou o cafezinho que tia Emília lhe ofereceu. Já na porta, disse para Victoria:

"Não acredito que esteja correndo risco imediato. E não tenho contingente para manter os policiais com você..."

Victoria entendeu o que ele queria dizer e não se importou. Mesmo dentro de casa, andava com o canivete suíço no bolso, porque não confiava neles. Mais tarde, no quarto, foi invadida por uma espécie de alívio. De modo tortuoso, a confirmação de que Georges não era Santiago arrefecia a mágoa. Mas ela logo rejeitou o pensamento. Nada justificava o que ele havia feito. Seguiu até a janela. Era uma terça-feira quente e, mesmo no crepúsculo, a rua ainda estava cheia, com pessoas suadas de paletó ou terninho. Levantou a cabeça, até sua vista alcançar o posto de gasolina. A viatura policial não estava mais na esquina.

Victoria pesquisava no computador sobre jornalismo investigativo e crimes célebres. Mais cedo, havia buscado o nome Georges Abnara e encontrado um breve currículo dele, com informações da Universidade Federal de Minas Gerais. Georges havia cursado comunicação social. Havia links sobre Georges Abnara pai, que era mesmo neurologista. Victoria encontrara um número de telefone do consultório dele. Sem pensar muito, ligara. O telefone havia chamado por alguns segundos antes que uma mulher atendesse. O dr. Abnara falecera anos antes. Agora, aquele telefone pertencia a uma clínica odontológica. Quando desligou, sentiu uma súbita vontade de beber algo forte, mas sufocou o desejo. A perna invisível começava a arder.

Passeou por matérias sobre o livro *A sangue frio*, de Truman Capote, e *50 anos de crimes*, sobre casos policiais brasileiros de grande repercussão. Na pesquisa, deparou com um texto recente sobre os crimes do Pichador. Hesitou um pouco antes de clicar. A matéria havia sido escrita por uma jornalista de um periódico popular. Além de fazer uma retrospectiva das mortes do passado, o texto mencionava o assassinato de Átila, pai de Santiago.

"Há algo de cruel sobre o passado. Ele não pode ser mudado", o dr. Max havia lhe dito certa vez. O psiquiatra tinha razão. Ler aquela matéria a deixou com um enorme incômodo. Quando se deu conta, estava tremendo e ardendo em febre. Zonza, gritou por tia Emília, que a conduziu depressa para debaixo do chuveiro. A água gelada a fez estremecer. Começou a chorar, sem conseguir se conter. Sua vida tinha saído dos trilhos, e ela não sabia mais como lutar. Estava esgotada. De repente, não viu mais nada.

Ao entreabrir os olhos, percebeu a silhueta do dr. Max contra a luz que entrava pela janela. Ele estava deitado de lado na mesma cama que ela, com o cotovelo apoiado no colchão. Ficou em silêncio até que Victoria se recuperasse.

"Você desmaiou", ele disse.

Ela não falou nada. Continuou deitada até se dar conta do que a incomodava tanto: a proximidade. O dr. Max nunca havia chegado tão perto. Ele vestia uma camiseta branca sem estampa por dentro da calça clara e estava descalço. Os pelos do peito escapavam pela gola. Com aquelas roupas simples, os cabelos molhados e perfumado, parecia que tinha acabado de sair do banho. Pela primeira vez, ela o enxergou como um homem. Foi invadida pela imagem do dr. Max se masturbando na poltrona do consultório.

"Investigar essa história está te fazendo mal", ele disse. "Podemos voltar a fazer sessões diárias, se quiser."

Mantinha os olhos fixos nela. Victoria se recusava a acreditar que seu psiquiatra tivesse algum interesse sexual por ela, mas se perturbou com aquele olhar. Ela balançou a cabeça, tentando espantar os pensamentos obscenos. Não queria sessões diárias.

"Esquece Sofia e o que ela fez com aqueles meninos", ele disse. "Esquece Georges. Deixa tudo nas mãos do delegado. Ninguém precisa ser seu passado, Victoria."

No meio da tarde, seu Beli apareceu para uma breve visita e saiu com tia Emília para fazer compras no supermercado. Minutos depois, quando o interfone tocou, ela se surpreendeu ao escutar a voz de Arroz. Fazia alguns dias que o amigo não a visitava. Abriu a porta e ficou esperando, apoiada na maçaneta, enquanto ele subia os lances de escada.

"Você está parecendo uma vampira", ele disse, abrindo os braços. "Há quanto tempo não vê a luz do sol?"

"Cuidado pra eu não te morder", Victoria respondeu, forçando um sorriso.

Arroz vestia jeans, camisa social azul-clara e mocassins, como se tivesse acabado de sair do escritório. Ele deu dois passos à frente para olhar em volta.

"Sua tia-avó está?"

"Saiu, mas já deve voltar. Por quê?"

"Você não vai acreditar." Ele sorriu. "Encontrei Sofia."

Victoria perdeu o equilíbrio por um instante. Seu coração batia mais forte, pressionando os pulmões e a deixando sem ar.

"Sofia Landers", Arroz disse. "É o sobrenome do marido americano."

Ele a conduziu pelo braço até o sofá. Victoria transpirava nas mãos, nas axilas, no pescoço, embaixo dos seios e entre eles. Não resistiu em perguntar:

"Como descobriu?"

"Fiz uma lista com todas as Sofias brasileiras que se casaram com americanos entre 1997 e 1998. Analisei uma a uma. Por isso demorou tanto", Arroz disse. "Agora, quer saber o mais importante?"

Victoria fez que sim.

"Ela veio para o Brasil há três anos", ele continuou. "Sofia está morando aqui, no Rio de Janeiro."

27.

O relógio marcava seis e meia da manhã. Do quarto, Victoria conseguia ouvir os roncos de tia Emília. Sem pensar muito, ela pegou algum dinheiro na bolsa da tia-avó e foi até a porta. Era a primeira vez em semanas que saía de casa. Estranhamente, não estava com medo, mesmo que a adrenalina a deixasse um pouco sufocada. Pegou um táxi até a rua São Clemente, onde ficava o Colégio Santo Inácio. Pais e crianças chegavam de carro, bicicleta ou a pé. Apesar de odiar multidões, Victoria se aproximou do portão onde dois homens uniformizados controlavam o fluxo de alunos.

No dia anterior, Arroz tinha lhe mostrado o perfil de Sofia Landers numa rede social. A mulher da foto aparentava ter quarenta e poucos anos. Tinha um sorriso discreto e cabelos castanhos e secos caindo atrás dos ombros, além dos limites do quadrado, com uma única mecha branca, como se fosse uma vilã de desenho animado. O nariz pequeno e a boca fina lembravam Mauro. Na biografia, constava apenas seu ano de nascimento — 1975 — e a cidade onde morava — Rio de Janeiro. Suas principais postagens tratavam de literatura — a crise das livrarias no Brasil, a força das pequenas e médias editoras, resenhas e artigos publicados em revistas literárias. Havia fotos de três ou quatro livros que ela havia traduzido do inglês. Algumas fotos a mostravam em paisagens bonitas ou cercada de amigos, em geral em cafés ou eventos de lançamento. Nas fotos de corpo inteiro, o cabelo de Sofia descia até a cintura. *Rapunzel*.

Ainda que seus gostos pessoais ficassem evidentes, Sofia revelava muito pouco sobre a vida íntima no perfil. Em um álbum de viagem, aparecia ao lado de um homem com cabelos ruivos e olhos claros. Provavelmente o americano com quem havia casado. Os dois estavam abraçados em um píer, diante de um mar revolto. Sorriam e trocavam um olhar cúmplice. Era um casamento de fachada? Ou Sofia teria parado de seduzir crianças depois de conhecer o marido? Em um álbum mais antigo, de 2014, havia fotos do casal com duas crianças negras — um menino e uma menina, aparentemente gêmeos, com três ou quatro anos. Entre outras coisas, os comentários diziam "parabéns", "feitos um para o outro" e "família linda". Finalmente, em uma foto de 2016, Sofia aparecia abraçada às crianças num pátio escolar, com um jardim verde ao fundo. Depois de pesquisar, Victoria descobriu que o brasão no uniforme das crianças era do Colégio Santo Inácio.

O que estou fazendo?, ela se perguntou depois de algum tempo. Era como procurar uma agulha em um palheiro. Nada garantia que as crianças continuavam estudando ali ou que apareceriam aquele dia. Ela já estava perdendo as esperanças quando uma picape prata encostou na frente do portão. A porta traseira se abriu e uma menina um pouco mais velha que a da foto desceu, com uma mochila nas costas e uma lancheira vermelha nas mãos. Devia ter uns sete anos, usava arco nos cabelos curtos e meias brancas que subiam até as canelas. Victoria abriu espaço entre as crianças, aproximando-se do carro, enquanto o menino descia para se juntar à irmã. O vidro do carona foi baixado e, do banco do motorista, uma mulher acenou para eles e desejou "boa aula", então ficou esperando até que passassem pelo portão e sumissem no interior do colégio.

Victoria não conseguiu reagir: era mesmo Sofia. Seus olhares se encontraram por um segundo, antes que o vidro automático voltasse a se fechar e o carro fosse embora. Fez sinal para um táxi e mandou que seguisse depressa o fluxo. Na altura da Cobal do Humaitá, avistou a picape. Seguiram pela rua Jardim Botânico, até que a picape ligou a seta para a direita e entrou em um estacionamento. Victoria pagou a corrida e desceu. Viu Sofia entregar a chave do carro ao manobrista e fazer algum comentário num tom de intimidade. A mulher passou bem perto dela, a menos de um metro. Victoria teve o impulso de abordá-la.

Sofia caminhava de maneira objetiva, mas sem pressa. Entrou em uma padaria no quarteirão seguinte, fez um pedido e se sentou em uma das mesas dos fundos. Victoria observava a tabela de preços, como se fosse uma cliente, em uma tentativa de se acalmar. A câimbra na perna invisível era mais forte do que nunca. A garçonete se aproximou da mesa de Sofia com um sanduíche e um suco, e Victoria intuiu que era o momento: sentou-se diante dela antes mesmo que começasse a comer.

"Desculpa, a gente se conhece?", Sofia perguntou, baixando o copo. O tom não era grosseiro, só curioso.

"Victoria", ela disse, com a voz trêmula. "Sua sobrinha."

Sofia recuou instintivamente. Encolhida na cadeira, passou os olhos pelo rosto de Victoria, como se buscasse ali algum vestígio de sua genética. De perto, Sofia era ainda mais parecida com o irmão — tinha os mesmos olhos caídos, as mesmas bochechas secas que deixavam o rosto afunilado. Havia também algo na reação apática dela que fazia Victoria se lembrar do pai.

"Preciso falar com você", Victoria disse, diante do silêncio da outra.

"Como me encontrou?"

"Não foi fácil, mas..."

"Esquece", Sofia interrompeu. "Não me interessa. Vai embora, por favor?"

Victoria não se moveu. Sofia amassou o guardanapo de papel sobre a mesa e ficou de pé.

"Espera!"

Os funcionários e alguns clientes das mesas próximas olharam para as duas mulheres. Sofia voltou a sentar.

"O que quer de mim?"

Victoria não sabia a resposta. Uma confissão, talvez.

"Eu deveria chamar a polícia", disse. "Rapunzel."

"O quê?", Sofia retrucou, piscando nervosa. "Do que está falando?"

"Sei que você é Rapunzel. A mulher por quem Santiago se apaixonou."

Sofia cruzou os braços, na defensiva.

"Você trabalhava na escola. Quando meus pais descobriram, você fugiu para os Estados Unidos. E agora vive escondida. Porque tem medo."

"Me deixa em paz, menina", Sofia disse. Seus olhos eram como um deserto. Ela voltou a ficar de pé e ajeitou a bolsa no ombro.

"Aquelas crianças", Victoria disse, quando a outra já se afastava. "São seus filhos? Ou só uma desculpa pra se aproximar de outras vítimas?"

Sofia retesou a boca numa expressão de ódio. Apontou o indicador para o rosto de Victoria.

"Se afasta da minha família", gritou. "Ou sou eu quem vai chamar a polícia!"

Ela foi embora depressa. Victoria tentou se acalmar e ignorar as pessoas ao redor. Depois que aceitou o copo d'água que o garçom lhe ofereceu, arrependeu-se de ter se apresentado para Sofia. Ela ia tirar as crianças da escola e sumir do mapa outra vez. Victoria estava elétrica demais para voltar para casa. Tinha diversas chamadas perdidas de tia Emília e do dr. Max no celular, mas não queria falar com eles. Cogitou pegar um táxi até a delegacia, mas perdera toda a certeza. O tom ofendido e furioso de Sofia não parecia de uma pessoa culpada. Ou seria possível que ela não sentisse remorso algum?

Victoria resolveu voltar ao Santo Inácio na hora da saída, meio-dia e meia. Aquilo a deixava com três horas livres. Saiu da padaria para evitar os curiosos e se sentou em um café. Estava inesperadamente faminta, então pediu um croissant e depois mais outro enquanto esperava. Como Sofia reagiria ao vê-la na porta da escola? Faria um escândalo ou finalmente contaria a verdade? Talvez ela e o marido se revezassem no transporte das crianças. Se quem aparecesse fosse ele, Victoria tentaria outra abordagem.

Quando olhou para o relógio, já era meio-dia e dez. Pagou a conta e saiu. Caminhou duas quadras sob o sol escaldante, suando muito. Na escola, encontrou um muro baixo na sombra bem próximo do portão e se sentou. Pouco antes do horário, a picape prata entrou na fila dos carros que aguardavam a saída dos alunos. Victoria ficou de pé, esperando ser notada. O pisca-alerta da picape foi ligado, e Sofia desceu batendo a porta. Ela segurou Victoria com brutalidade pelo braço.

"O que está fazendo aqui?"

Na mesma hora, os filhos dela passaram correndo pelo portão. Sofia forçou um sorriso.

"Me esperem no carro."

"Quem é ela, mãe?", a menina perguntou.

Sofia pensou um instante.

"Uma nova amiga da mamãe."

Sem perguntar mais nada, as crianças entraram.

"Essa história não tem nenhuma importância agora", Sofia parecia tentar se acalmar. "Por que não segue com a sua vida e esquece isso?"

"Santiago está me ameaçando. Por sua causa."

"Te ameaçando?"

"Eu *preciso* entender", Victoria disse, e estava sendo sincera.

Sofia pensou um instante. Levou-a até o carro e abriu a porta do carona.

"Entra."

Victoria hesitou. Sofia tentaria matá-la? Na frente das crianças? Como se pudesse ler seus pensamentos, a mulher disse:

"Vamos conversar. Não é isso que você quer?"

Victoria entrou e, durante todo o caminho, ficou em silêncio. Sofia perguntou aos filhos sobre a manhã na escola, como se fosse um dia normal. Os dois narraram detalhes como quem tinha vivido uma grande aventura: a aula de português, a aula de educação física (em que a menina quase tinha se machucado) e a aula de matemática, a preferida dela. Sofia parecia uma ótima mãe, que mantinha um diálogo aberto com os filhos. Não combinava em nada com a sádica que Victoria havia fantasiado. Quando já chegavam perto da rua Farani, em Botafogo, Sofia ligou para casa e pediu pelo viva-voz que a babá descesse para buscar as crianças. Minutos depois, as duas estavam sozinhas no carro.

"Onde você mora?", Sofia quis saber.

"Não preciso que me deixe em casa."

"Onde você mora?"

Se não cedesse algo, Victoria acabaria não conseguindo nada. Ela passou o endereço, concluindo com certo temor que agora estavam em igualdade. Foram menos de quinze minutos até a Lapa, em silêncio absoluto. O zumbido baixo do ar-condicionado tinha algo de fantasmagórico. Sofia encostou o carro em um recuo a poucos metros do prédio de Victoria.

"Sempre tive medo de que você me encontrasse", ela disse, encolhendo os ombros. "Sou feliz com meu marido e com meus filhos, mas... Você tem o direito de fazer suas perguntas."

Victoria ficou surpresa, ainda que não entendesse aonde ela pretendia chegar.

"Eu tinha onze anos quando fui morar na casa do meu irmão", Sofia continuou. "Era 1986. Na época, ele e Sandra moravam juntos na Ilha do Governador e me acolheram. Eu ainda estava muito triste por ter perdido meu pai de um jeito tão súbito. Era uma criança, uma menina assustada..."

Sofia falava com o rosto voltado para a frente, o olhar fixo em algum ponto vago e distante na esquina. Ela se ajeitou no banco de couro, produzindo um ruído incômodo, então continuou:

"Certa noite daquele ano, Sandra deitou na cama comigo, disse que ia me proteger dos monstros, que eu não precisava ter medo... E ela... Ela me abraçou e começou a me tocar... Meus cabelos, minha nuca, minha boca, depois minha barriga."

Victoria não soube como reagir.

"A cada noite, ela avançava mais um pouco." Sofia apertou o volante com força. "Colocava as mãos dentro da minha calcinha e lambia minha nuca. Durante o dia, voltava a ser a tia Sandra, e era como se nada tivesse acontecido. Como se eu tivesse sonhado."

"Você está mentindo...", Victoria disse. A frase soou patética em voz alta.

"Foram meses. Um dia, Sandra colocou os dedos dentro de mim. Me machucou tanto que resolvi contar pro meu irmão, sem saber direito o que aquilo tudo significava. Achava que podia confiar nele. Mas Mauro disse que estava decepcionado comigo, que eu não devia contar aquela mentira pra mais ninguém, que estava muito errada. E eu aceitei. Tinha onze anos. O que mais podia fazer?"

Sofia esticou a mão para o painel e baixou a temperatura do ar-condicionado. A atmosfera tinha ficado mais pesada e escura. Victoria quase não respirava.

"Uma noite, enquanto aquilo acontecia de novo, eu me lembro de virar o rosto e tentar pensar em outra coisa... Então eu vi... meu irmão na porta, com os olhos vidrados em mim. Foi só aí que entendi que ele também participava. Observando."

"Não acredito em uma palavra do que está dizendo."

"Você me pediu a verdade", Sofia disse. "Essa loucura continuou por anos. Eu tinha pesadelos frequentes e uma enorme dificuldade de fazer amigas na escola, de me relacionar, mas não ligava nada daquilo ao que acontecia comigo à noite. Como contar uma coisa dessas pra alguém? Eu tentava dizer pra mim mesma que não era nada, que a tia Sandra só fazia carinhos, mesmo que às vezes eu ficasse dolorida, mesmo que meu irmão tivesse começado a pedir que ela fizesse mais e mais coisas... A culpa era minha, não deles."

Victoria estremeceu. Sentia pavor de Sofia, embora fosse uma mulher ainda menor que ela.

"Quando fiz dezesseis anos, eles pararam. Era como se eu não servisse mais", Sofia disse, ainda de perfil, então comprimiu os lábios, que tremiam. "Tentei seguir em frente, esquecer aquela história. Sabe como é... Minimizei a gravidade do abuso. Disse a mim mesma que muita coisa podia ser fruto da minha imaginação. Talvez eu estivesse exagerando. Afinal, eles eram queridos no bairro, donos de uma escola... Eric era um bebê lindo. Eu não podia estragar tudo. Inventei mil desculpas pra mim mesma e achei que o pior tinha passado." Ela virou o rosto, finalmente encarando Victoria. Seus olhos estavam muito vermelhos e sua voz saiu embargada. “Mas nunca é tão simples. Eu não conseguia manter nenhum relacionamento. Tinha nojo de pensar em beijo, sexo, qualquer tipo de proximidade. A razão disso não era tão clara pra mim. Eu me sentia culpada, defeituosa. Tinha errado, de alguma forma. Continuei morando com eles depois de completar dezoito anos e aceitei trabalhar na Ícone. Por algum tempo, fui feliz. Gostava de trabalhar com crianças, gostava de ver o Eric crescendo. E, quando você nasceu, era a coisa mais linda do mundo. Achei que estava tudo bem.”

Victoria buscou algum traço de perversidade na expressão de Sofia, algum prazer em lhe contar tudo aquilo, mas não encontrou. Havia apenas angústia e resignação.

“Foi só em 96, quando eu já trabalhava na escola fazia três anos, que descobri que não era a única vítima deles.” Sofia deixou uma lágrima escorrer pelo rosto. “Viajei com umas colegas para Búzios, mas voltamos pro Rio mais cedo do que o planejado. Quando cheguei em casa, escutei os gemidos nos fundos da casa. Fui devagarzinho até a garagem e…” Seu rosto se retraiu, cheio de nervosismo e horror. “Na mesa, Sandra estava fazendo sexo com um menino tão novo que mal tinha pelos. Era um dos alunos. Eu não conseguia acreditar. Tentei contornar a garagem, então vi meu irmão… Ele estava em um banquinho, de onde assistia a tudo pelos buracos na parede, se masturbando. Ao lado dele, tinha uma câmera em um tripé.”

Victoria se sentia seca. Não conseguia sequer chorar.

“Não dormi naquela noite”, Sofia continuou. “Levantei de madrugada e entrei na garagem. A mesa estava de volta ao lugar, mas acabei encontrando uma caixa com negativos de fotos. Eles abusavam de várias crianças da escola, meninos e meninas. Era como um jogo do casal, um fetiche. Em uma das fotos, Sandra fazia sexo com dois garotos. Um deles era o que tinha se matado na escola anos antes. Mauro me flagrou mexendo na caixa e tivemos uma briga terrível. Ele me ameaçou de morte. E me expulsou de casa na mesma hora."

Sofia enxugou o rosto com as mãos trêmulas.

"Decidi quebrar o silêncio. Fui pedir ajuda da única pessoa em quem eu podia confiar. Emília... Aquela desgraçada era minha tia. Em vez de acreditar em mim, falou que eu era uma ingrata mentirosa. Preferiu manter as aparências a enfrentar a podridão da família. Preferiu acreditar que eu estava inventando. E eu não tinha as fotos para provar. Por isso, fugi. Fugi de mim mesma."

Finalmente, Victoria conseguiu se mover. Fez que não com a cabeça, mas algo borbulhava dentro dela. A história tinha a potência dos fatos. Por mais horrível que fosse, Sofia não parecia estar mentindo.

"Onde estão as fotos?", Victoria perguntou, ainda que pouco importasse.

"Se a polícia não encontrou quando varreu a casa depois do assassinato, só pode ter sido a Emília..."

As duas mulheres se encararam em silêncio por menos de um minuto. Victoria se mexeu para aliviar o incômodo na perna invisível. Tinha vontade de sair correndo.

"Nos primeiros anos nos Estados Unidos, esse assunto me atormentava. Sandra e Mauro eram criminosos codependentes, um encontro de almas cruéis. Ela era uma abusadora exibicionista e ele era um voyeur pedófilo. Pensei em denunciar os dois. Mas que prova eu tinha? Hoje, sei que uma acusação dessas acabaria com a reputação deles, mesmo que nada fosse provado. Assim eu protegeria os alunos, além de você e seu irmão. Fui covarde. Tive medo, vergonha, dor. Sem as fotos, coloquei na cabeça que a polícia não acreditaria em mim, já que nem minha tia havia acreditado. E eu já tinha sofrido tanto. Então conheci meu marido, Fred, e casamos." Sofia sorriu, mas logo voltou a fechar o rosto. Havia tristeza em seus olhos. "Quando vi a notícia sobre a tragédia, fiquei arrasada. Seu irmão não merecia morrer. Ele não tinha culpa. Nem você."

"Não acredito", Victoria repetiu, embora sua voz sugerisse o contrário. "Meus pais não eram assim."

Sem suportar mais, ela abriu a porta do carro e saiu. Pensou que as pernas bambas não sustentariam o peso do corpo, mas estava estranhamente forte e bem-disposta. O bafo quente da rua embaçou seus óculos.

"Tem uma coisa que não te contei", Sofia disse antes que ela batesse a porta. "No dia em que cheguei de Búzios e vi os dois na garagem, abusando do menino, também vi..." Ela suspirou. "Vi você, com dois aninhos, do lado do meu irmão, de olhos arregalados, atenta a tudo... Enquanto tirava fotos, aquele monstro colocava você para assistir às coisas horrorosas que faziam na garagem. Você também foi vítima deles, Victoria."

28.

Victoria entrou no apartamento num rompante e deixou a porta entreaberta. Todo o seu corpo ardia, como se mergulhado num caldeirão fervente. Tia Emília estava na poltrona, próximo à mesinha com telefone fixo. De pé, o dr. Max digitava depressa no celular.

“Minha filha”, tia Emília disse, assustada. “A gente estava atrás de você! Aonde você foi? O que aconteceu?”

Victoria não respondeu. Sentia-se machucada e traída. Aceitou o abraço do médico e se deixou guiar até o sofá. Ele a sentou com cuidado, mas ela não queria ficar sentada.

“Encontrei Sofia”, disse. “Rapunzel é minha mãe, não é?”

Tia Emília apertou as mãos no colo. Ergueu a cabeça, impassível.

“Do que está falando?”

O dr. Max passou um lenço na testa dela para enxugar o suor.

“Você está com febre”, ele disse.

“Quero que me conte a verdade”, Victoria insistiu, tentando soar calma, ainda que fosse impossível.

Olhou de relance para o médico. Ele havia passado o braço ao redor dela e tinha a expressão preocupada. Victoria queria que ele fosse embora.

"Eu te avisei pra não procurar Sofia!", tia Emília disse.

"Meus pais... Eles agiam juntos, seduziam alunos."

"Que loucura é essa?"

Em geral, conseguia perceber quando tia Emília mentia. Mas agora o rosto dela era como uma pintura que não se deixava revelar. Victoria estava diante de um impasse: a menos que ela confessasse, teria que escolher em quem acreditar.

"Sofia é cruel e mentirosa", tia Emília insistiu, buscando os olhos do dr. Max, na esperança de que ele dissesse algo.

Num gesto discreto, o psiquiatra se afastou de Victoria.

"Preciso de um copo d'água", disse, e foi para a geladeira.

Victoria voltou a atenção à tia-avó.

"Sofia contou que eles tiravam fotos na garagem. Fotos de sexo com criança", ela disse, ofegante. "Como a polícia nunca encontrou nada?"

"Seu pai era um homem bom, que amava sua mãe, você e seu irmão! Como pode duvidar disso?"

Era difícil aceitar que a tia-avó mentia descaradamente sobre algo tão sério. Ela precisava de provas. Provas que mostrassem que aquilo tudo era uma invenção macabra. Bem no fundo, ainda tinha esperanças de que Sofia estivesse mentindo.

"Essas fotos nunca existiram", tia Emília disse, com veemência.

"Para de mentir, filha da puta."

A voz grave pegou Victoria de surpresa. Ela virou a cabeça para ver quem tinha falado. Por um instante, pensou que estava delirando, mas, na bancada da cozinha, o dr. Max havia assumido uma nova postura, com a coluna ereta e os braços caídos ao lado do corpo. Seu rosto estava sério, com a boca retesada emanando um som perturbador de dentes batendo sem parar, como se ele enfrentasse um frio de muitos graus negativos.

"O que você disse?", tia Emília perguntou, confusa.

Sem responder, ele deu três passos na direção dela e a estapeou. O som seco despertou em Victoria um desejo louco de murchar e desaparecer. Ela abriu a boca para protestar, mas notou que o médico tinha uma faca na outra mão.

"Conta pra ela!", ele gritou. Antes que tia Emília pudesse reagir, o dr. Max envolveu-a em um mata-leão e posicionou a lâmina na jugular dela. "Conta!"

Victoria tentou se ajeitar no sofá, mas derrapou, sem conseguir firmar os pés.

"Sofia nunca fez nada... Era Sandra..." A voz do dr. Max saiu sedenta. Toda a sobriedade de médico havia desaparecido, substituída por uma frieza distante. "Você sabe a verdade!"

"Não sei do que está falando", tia Emília disse, quase sem voz. Continuava imóvel, com as mãos nos braços da poltrona. O dr. Max pareceu perturbado ao vê-la chorar baixinho, como se lembrasse que ela era humana. Ele levantou o rosto para Victoria.

"Não acreditei quando Rapunzel me desejou", ele disse, com os olhos apertados. "Com aquele sorriso perfeito, aquela voz... Eu não podia recusar... O carinho, o prazer..."

Victoria não conseguia discernir se ele falava de modo confuso ou se era ela quem estava perdendo a consciência. O pânico a dominava por completo: o dr. Max era Santiago. Ela e tia Emília estavam sozinhas no apartamento com o assassino de sua família. O homem que sabia tudo sobre a vida dela.

"Por favor, não", Victoria conseguiu dizer, deslizando a mão pela calça em busca do canivete.

"O que você fez com as fotos?" O dr. Max apertou o cabo da faca. Com qualquer movimento brusco, abriria a garganta de tia Emília. "Conta, velha filha da puta!"

Victoria começou a gritar. Não era algo consciente. A cabeça latejava, como se o cérebro estivesse sendo rasgado com arame e ficasse em carne viva. Por um instante, teve esperança de que algum vizinho ouvisse e chamasse a polícia. Max afastou um pouco a faca e empurrou tia Emília da poltrona. A mulher ainda tentou se sustentar na bengala, mas não conseguiu. Como uma boneca, caiu no chão. Victoria urrou ainda mais alto, pedindo ajuda.

"Cala a boca ou mato ela", o dr. Max disse. "Agora!"

Imediatamente, Victoria engoliu em seco. O formigamento nos braços e no peito era intenso, e a pele coçava. Apoiou-se no encosto do sofá, tentando ficar de pé mais uma vez, mas deslizou pela almofada, batendo de lado com a cabeça no chão. Deitada, ela viu a sala girar sem nitidez. Estava tendo uma crise de pânico. As mãos desesperadas tentavam alcançar o bolso lateral da calça jeans, mas o gesto demandava muito esforço. Finalmente, conseguiu. Apertou o cabo do canivete entre os dedos.

"Naquela noite, quando cheguei na casa, logo encontrei a caixa de fotos... Aberta... Ao lado do corpo de Mauro", tia Emília começou a dizer, ainda no chão, recostada à parede. Apesar de tudo, sua voz era calma, como se ela já estivesse morta. "Tinha uma porção de imagens degradantes, nojentas... jogadas no chão do quarto. Guardei tudo no meu carro enquanto a polícia não chegava."

"Você sabia!", o dr. Max gritou.

"Era uma vergonha... Eu queimei tudo... todas as fotos."

Victoria aproveitou a distração do dr. Max para tomar impulso. Com o canivete em punho, pulou em cima dele. Num movimento rápido, o psiquiatra ergueu o braço, desviando do golpe, e girou a faca no ar, abrindo um rasgo na lateral da barriga de Victoria. Tonta, ela bateu contra o móvel e deixou o canivete escapar de seus dedos e escorregar para debaixo do sofá. Ainda de pé, levou a mão ao ferimento para estancar o sangue.

Irritado, o dr. Max avançou para cima dela. Ele era enorme e perigoso. Na contraluz, sua sombra parecia a de um gigante com um machado. Seus cabelos grisalhos estavam desgrenhados. Nada nele lembrava o homem limpo e correto com quem Victoria havia se tratado todos aqueles anos. Em desespero, ela recuou e tropeçou no tapete, rastejando pelo chão e deixando um rastro de sangue que escapava pela blusa rasgada. O dr. Max a pressionou contra a parede. Ela tentou empurrá-lo, mas não tinha forças para nada. Encolheu-se, apavorada, pressionando o ferimento com as mãos.

"Me ajuda", balbuciou. "Preciso de um médico."

Tia Emília se apoiou nas almofadas do sofá e tateou com a bengala, em uma tentativa de ficar de pé. Deu três passos na direção dele, erguendo o apoio como uma espada. O dr. Max anteviu o golpe e segurou os braços dela. Socou-a com força, deixando-a com um inchaço vermelho no rosto, logo abaixo do olho esquerdo. A boca sangrava devido a um corte no lábio superior. Gotas de sangue pingavam também do nariz. Ela parecia uma máscara de borracha deformada.

"Pode me matar, eu mereço", tia Emília disse, caída no chão, semiconsciente. Seu olho inchado piscava sem parar. "Mas leva ela pro hospital, pelo amor de Deus!"

As forças de Victoria se esvaíam. Seu queixo apontava para o alto, e a boca estava escancarada em busca de ar. Intuiu que morreria ali, sangrando diante da tia-avó e do homem que matara toda a sua família. Não havia rota de fuga. Ele ia terminar o que havia começado anos antes. Victoria só não entendia por que a tinha deixado viva por tanto tempo. Por que não havia acabado com ela naquela noite, junto com seus pais e seu irmão? Com a bengala, o dr. Max desferiu um golpe final que fez tia Emília silenciar. Depois, voltou a se aproximar de Victoria, agachando--se para passar os dedos na testa dela carinhosamente.

"Você me lembra tanto ela... Rapunzel...", ele disse, colocando a mão na nuca dela e erguendo de leve a cabeça. "Eu queria proteger você, mas... Deu tudo errado... Vocês... Vocês se apaixonaram, e eu... Eu não consegui... O que eu sinto por você..."

Sem resistir, o dr. Max aproximou o rosto dela e a beijou. Foi um beijo sedento, desesperado, que a sufocou por alguns segundos. Enojada, Victoria girou a cabeça e tentou cuspir, mas a saliva apenas escorreu pelo canto da boca. Num átimo de segundo, teve a impressão de que a porta do apartamento se moveu. Um vizinho teria escutado seu pedido de socorro? Virou-se para o dr. Max, que estava de costas para a entrada e a encarava fixamente, movendo a boca sem parar. Ela não escutava o que ele dizia.

Alguém entrou na casa. Quando ultrapassou a faixa de luz que chegava da janela, Victoria o reconheceu. Sem perder tempo, Arroz avançou na direção do psiquiatra, pulando sobre ele com os braços erguidos e agarrando seu pescoço. O dr. Max perdeu o equilíbrio e caiu para o lado, mas manteve a faca firme nas mãos. Arroz o segurou pelo punho, impedindo que desferisse o golpe, então socou seu estômago. Os dois rolaram no chão. Arroz era mais alto, mas também mais magro. Victoria viu quando a lâmina do dr. Max raspou no braço dele. Logo depois, Arroz conseguiu chutar seu rosto. A faca voou longe, para perto da mesinha de centro.

Apesar da dor, Victoria se esticou para pegá-la. Arroz estava embaixo do dr. Max, levando socos na cabeça. Ele girou o corpo e empurrou o médico, conseguindo uma vantagem. Victoria estendeu a faca para o amigo, que a enfiou no peito do dr. Max num só golpe. No mesmo instante, o psiquiatra parou de lutar e seu corpo amoleceu. Uma lufada de sangue escapou da boca dele antes que caísse no chão, sem vida, com os olhos vidrados. Depressa, Arroz se desvencilhou dele e ajudou Victoria a se sentar recostada à mesinha. Ela testou o pulso da tia-avó: estava viva. Colocou a cabeça dela em seu peito e deu tapinhas em seu rosto.

"Acorda, acorda", disse, ansiosa.

Foi invadida por uma dose de conforto quando tia Emília tossiu. Arroz voltou da cozinha com dois panos de prato molhados. Usou um deles para estancar o ferimento na barriga de Victoria, dando a volta na cintura dela. Então pediu ajuda para enrolar o outro no próprio braço.

"Ele está morto", Arroz disse, mais para si mesmo. "Está tudo bem."

A tia-avó abriu os olhos lentamente, recobrando a consciência.

"Me desculpa... Fiz tudo pensando no seu bem, minha filha", disse, atropelando as palavras.

"Você acabou com a vida de Sofia. Inventou que ela era uma pervertida. Eu fiquei totalmente no escuro quanto ao cara que estava me perseguindo. Por sua causa!"

A irritação a fez sentir pontadas no abdômen. Arroz colocou tia Emília deitada no sofá e encarou Victoria, que gemia de dor. Sua blusa branca estava completamente vermelha.

"Você precisa ir logo pro hospital."

Ela concordou. Tinha perdido muito sangue. Estava ansiosa e com medo, mas também aliviada, tudo ao mesmo tempo.

"Chama uma ambulância", tia Emília sugeriu.

"Não vai dar tempo", Arroz disse, ficando de pé. "Eu levo ela."

Com cuidado, ele ajudou Victoria a se deitar no chão antes de erguê-la nos braços. Com o rosto a poucos centímetros de distância, ela o encarou. Queria dizer muitas coisas a Arroz. Queria se desculpar. E agradecer. Mas não havia tempo. Ele passou com ela pela porta e começou a descer as escadas do prédio. Victoria fechou os olhos, deixando-se levar pela segurança daquele colo. Sua consciência ia e voltava, mas agora ela intuía que tudo terminaria bem. Pouco a pouco, a serenidade voltava, ainda que o ferimento chamuscasse horrivelmente. Quando chegou ao térreo e foi colocada no carro, quase podia flutuar.

Dirijo atento ao limite de velocidade, enquanto espero meu ritmo cardíaco voltar ao normal. Foi por pouco. Pelo retrovisor, vejo Victoria deitada no banco traseiro com a cabeça recostada na porta. Ela está muito suada e machucada. Entre desmaios e gemidos, dorme e acorda, dorme e acorda. Depois de alguns minutos, pergunta se falta muito para chegar ao hospital. Digo que não. Ela está tão zonza que não olhou para fora, ainda não se deu conta de que não estamos indo para o hospital.

Se não fossem as câmeras que instalei no apartamento, eu não conseguiria chegar na hora certa. Gabriel quase colocou tudo a perder. Eu o ajudei a fugir do hospital psiquiátrico, consegui a papelada que o transformou no dr. Max e me livrei do antigo médico para que ele pudesse se aproximar de Victoria e a guiar até mim. Mas Gabriel me traiu. Estimulou uma confiança excessiva em Victoria, a transformou numa puta que se entrega a qualquer um. Agora, ele está morto e Victoria está comigo. Vou consertar tudo. O relógio marca quatro da tarde. Sigo pela Linha Vermelha e entro na Ilha do Governador.

Minutos depois, chegamos à casa. A casa onde tudo começou. Aperto o controle. O portão se abre lentamente. Volto a olhar o retrovisor e percebo que ela me encara. Há algo de diferente no rosto dela. Uma expressão indisfarçada de terror. Com um sorriso, digo que não precisa ter medo. Que vai ficar tudo bem. Victoria se agita, tenta inutilmente abrir a porta. Chuta e soca os vidros do carro como num ataque epiléptico. Sou obrigado a manobrar mais depressa e passo de qualquer jeito pelo portão. Arranho a lataria, mas não me importo.

Sem perder tempo, desço do carro e abro a porta traseira. Tento puxar Victoria pelos braços, mas ela está arredia, tenta me abocanhar, como um animal selvagem. Dou um tapa na cara dela. Dou outro mais forte, que faz seus óculos voarem longe, e a agarro em seguida. Empurro a porta da garagem com a perna. Deito-a na mesa e acendo as luzes. Meu coração se enche de alegria. Finalmente, chegamos. Estou de volta com minha Rapunzel. Só nós dois, no nosso cantinho.

29.

A garagem estava abafada, com cheiro de maresia e móveis enferrujados. No centro do retângulo, a mesa de madeira era cirúrgica e primitiva, com as bases fixadas ao chão por parafusos velhos. Victoria estava deitada sobre ela, com as pernas esticadas e os tornozelos afivelados. Seus braços estavam acima da cabeça, presos em cintas de couro. Ela sentia os ombros dormentes. Arfando, encarava o teto preto, com um complexo emaranhado de canos e luminárias que castigavam sua vista. Olhou para os lados à procura de Arroz, mas sem óculos era praticamente impossível ver qualquer coisa. Considerando os sons, ele estava em algum ponto além de sua cabeça.

"O que você está fazendo?", Victoria perguntou. O suor fez seus olhos arderem. "Pelo amor de Deus, eu..."

Viu uma sombra crescer no teto, então Arroz apareceu diante dela.

"Estou aqui", disse, com a voz serena.

"Arroz, me escuta..."

Ele a segurou com força pelo queixo, apertando-a.

"Não me chama de Arroz."

O rosto de Victoria queimava. As costas também ardiam muito.

"Por favor", ela disse, cautelosa. "Me leva pro hospital."

Arroz acariciou o rosto dela, especialmente na área avermelhada onde tinha batido. Saiu da garagem por um instante, deixando uma nesga de luz escapar pela porta entreaberta e iluminar os cantos da garagem, antes mergulhados na escuridão. Victoria se arrepiou ao perceber que tudo tinha sido preparado por ele. Nas paredes, dezenas de pichações com palavras aleatórias que ela não conseguia ler daquela distância. No canto, caído no chão, algo que parecia um amontoado de lençóis. Ela apertou os olhos, tentando focalizar, e reconheceu uma figura humana entre os trapos, com a cabeça recostada na parede.

"Georges?", ela chamou, horrorizada.

"Não adianta", Arroz disse, voltando a aparecer na porta. "Ele está sedado."

"O que você fez com ele?"

Sem responder, Arroz se aproximou e colocou latinhas de cerveja ao lado dela. Prendeu os cabelos num coque improvisado e acendeu um cigarro de maconha, soprando a fumaça. Colocou o baseado entre os lábios dela. Victoria cuspiu o cigarro, com raiva.

"Vamos brincar?", ele disse, sem se abalar. Pegou o baseado e o acendeu novamente. "Era assim que ela me chamava pra cá. Era maravilhoso."

Arroz sorriu. Abriu duas latinhas de cerveja e bebeu uma inteira em goladas. Pressionou a outra na boca de Victoria, virando-a para que o líquido descesse pela garganta. Ela engolia depressa, tomada por uma sensação de afogamento. Engasgou e tossiu muito. O gosto do álcool a deixou com ânsia de vômito.

"Por que está fazendo isso?"

"Fui tão feliz com minha Rapunzel", ele disse, em um tom ofendido. "Ela jurou que ia ficar comigo pra sempre, prometeu fugir comigo, mas... Quando completei dezessete anos, ela me rejeitou. Disse que tinha acabado... Eu não servia mais..."

Arroz forçou Victoria a tragar o cigarro e abriu uma nova latinha. Voltou a emborcá-la para ela.

"Fiz tanto pra te conquistar. Quando vi como era parecida com ela, salvei sua vida. Mas você nunca me quis, nunca confiou em mim", ele disse, no mesmo tom que sempre usara com ela, o que era ainda mais perturbador. Havia carinho, mas também rancor. "Preferiu se prostituir com aquele escritorzinho de merda. Foi horrível ter que assistir a vocês dois transando no seu apartamento e não fazer nada. Você confiou nele. Contou coisas pra ele que nunca tinha me contado."

Victoria voltou a olhar para Georges. Se acordasse, ela talvez tivesse alguma chance, mas ele sequer se mexia. Borrões escuros apareciam diante dos olhos dela e a cabeça voltava a latejar, antecipando o desmaio. Arroz entrou na frente dela, sério.

"Era por mim que você devia se apaixonar."

Ele baixou o rosto, lambendo o pescoço dela. Sedento, subiu até as orelhas e depois desceu depressa, enfiando o nariz entre seus seios e respirando fundo.

"Não... Por favor!", Victoria gritou, quando ele puxou a blusa dela e mordiscou seus mamilos.

Ela usou todo o seu ódio para fazer força. Agitou os punhos afivelados, apertou as mãos e urrou, se contraindo toda. Não adiantou. Arroz contornou a mesa, posicionando-se próximo aos pés dela. Soltou as cintas que envolviam os tornozelos de Victoria, rasgou sua calcinha e dobrou as pernas dela no ar, com violência. Segundos depois, ele as soltou e se aproximou, erguendo a mão com uma faca perto dos olhos de Victoria.

"Abre direito ou vou ter que usar isso", disse.

Ela se via sufocada, entregue, abandonada. Precisava dar um jeito de chamar a atenção dos vizinhos, mas a garagem ficava em uma parte isolada da casa. Era pior do que estar morta. Resignada, sentiu quando ele a penetrou com um dos dedos, depois com outro, e mais outro. Doía muito, mas ela estava entregue. A parte inferior de seu corpo pesava como um saco de areia, de modo que ela não podia fazer nada. Enquanto resfolegava, conseguiu liberar a mão esquerda da cinta num movimento brusco e baixar o braço. Sentiu uma ardência percorrer todo o ombro, como uma corrente elétrica. Em vez de levar a mão à outra fivela para se soltar, ela a estendeu para Arroz, num gesto convidativo.

"Espera", disse, forçando uma voz rouca, íntima. "Me dá sua mão... meu príncipe."

Reuniu todas as suas forças para sorrir. Fixando os olhos nele, mostrou os dentes e projetou os lábios de modo sedutor. Arroz ficou imóvel, encarando-a à distância, como se temesse se aproximar.

"Eu preciso beber mais...", ela disse. Apertou os olhos e balançou a cabeça, tentando fazer os cabelos caírem sobre o rosto, como Sandra usava. "Sou eu... sua Rapunzel. Estou aqui pra você."

A expressão dele se transformou. Num átimo, ela viu o menino surgir nos olhos ocos. Posicionado entre as pernas de Victoria, ele tirou os dedos de dentro dela e guardou a faca, trêmulo. Aquilo a encheu de coragem.

"Me beija...", ela pediu.

Hesitante, ele caminhou na direção dela. Seu semblante era de uma criança indefesa e assustada, com a boca entreaberta e os olhos vidrados. Quando Victoria tocou na mão dele, percebeu Arroz se arrepiar no mesmo instante. Sua pele estava fria. Ela acariciou os dedos dele e foi subindo pelo braço, até chegar ao pescoço e depois ao queixo. Puxou-o de modo sutil pela nuca, sem perder o contato visual.

"Me beija, meu príncipe", repetiu, num gemido. "Eu quero."

Ele se inclinou sobre ela. Quando estava prestes a beijá-la, sua expressão se modificou, num misto de desprezo e prazer. A centímetros de seu rosto, ele sorria.

"Acha mesmo que vou cair nessa?", Arroz disse. "Você queria me abandonar, igualzinho a ela."

Por um instante, Victoria foi tomada por uma completa indiferença, consciente de que o plano de seduzir o assassino não daria certo. Sentiu uma vontade louca de gargalhar. Estava tão cansada. Só queria um pouco de paz. Nada além daquilo importava. Nem a morte. Pelo menos, seria o fim de tudo. Ele piscou. Estavam tão próximos que sentia seu hálito.

"Quando percebi que você estava se enxovalhando com Georges, tratei de tirar o desgraçado do caminho...", ele disse, voltando a empunhar a faca. "Mesmo assim, você não me deu a menor chance. Me decepcionei tanto... Pelo menos, uma noite. Uma noite como aquelas. Depois, não preciso mais de você."

Com a vista embaçada, tudo parecia etéreo. Havia cada vez mais manchas pretas diante dos olhos de Victoria. Acabaria ali. Ele ia estuprá-la e matá-la logo depois. Quando tia Emília denunciasse o desaparecimento dela à polícia, já seria tarde demais. Arroz desceu a calça jeans e a cueca e arreganhou as pernas dela. Lentamente, enquanto ele se distraía em masturbar o membro enrijecido, Victoria baixou o braço livre e, dobrando um pouco o tronco para a esquerda, desconectou a coxa da perna mecânica. O barulho metálico foi quase imperceptível, e ela o disfarçou com um gemido de dor. Com a ponta dos dedos, tocou a parte superior da prótese e, esticando-se um pouco mais, conseguiu segurá-la na mão esquerda.

Arroz se aproximou entre as pernas dela, repetindo baixinho

uma espécie de mantra. *Vamos brincar, vamos brincar, vamos brincar*... Posicionou-se para penetrá-la. Antes que ele fosse adiante, Victoria girou o corpo sobre a mesa e, tomando impulso, bateu com a estrutura de ferro na cabeça dele. O calcanhar da perna mecânica atingiu a testa, afundando a pele e criando um rombo. Arroz bambeou e caiu para trás. Sem perder tempo, Victoria soltou a fivela que prendia o outro punho e se sentou, sentindo uma dor visceral que nascia na lombar e subia até o pescoço. Então se jogou no chão com as mãos estendidas, tentando não se machucar muito na queda.

Apesar da dor insuportável, ela não parou. Arrastou-se até a prótese, caída no extremo oposto da garagem. Apoiada à parede, conseguiu ficar de pé no mesmo instante em que Arroz se levantava. Ele tentou alcançar a faca, mas Victoria desceu a perna mecânica nas costas dele. Quando Arroz tentou se proteger, levou outro golpe na bochecha, que abriu um corte profundo. Ao perceber que não conseguiria manter o equilíbrio, Victoria se jogou de joelhos em cima de Arroz. Segurando a perna mecânica com as duas mãos, subiu e desceu os braços, esmagando a cabeça dele como se fosse um pilão. Seus ombros ardiam muito, mas ela só parou de bater quando a estrutura de ferro começou a se desmontar em suas mãos. Arroz não se movia mais. Ao olhar para baixo, Victoria enxergou apenas uma massa disforme e escura de carne, sangue e cabelos.

30.

Victoria mal conseguia acreditar que havia sobrevivido. Acordara no hospital com tia Emília ao seu lado, solícita, mas muda. Os acontecimentos recentes estampavam as capas dos principais jornais do país. Tudo parecia surreal. Ela precisaria de algum tempo para assimilar. Não sabia de onde havia tirado forças para rastejar até a casa e telefonar para a emergência antes de desmaiar. A polícia havia encontrado Victoria no chão da sala. Santiago estava morto na garagem e Georges estava algemado a um cano, em péssimas condições. Tinham sido encaminhados depressa ao hospital.

No início da tarde, o delegado Aquino entrou no quarto para informar que Georges havia se recuperado. Estava do lado de fora e queria falar com ela. Pela janela, Victoria observou o horizonte. Era um dia claro e bonito. A luz do sol se esparramava sobre o Rio de Janeiro e refletia nos prédios espelhados do centro da cidade.

"Deixa ele entrar", disse.

Minutos depois, Georges apareceu na porta, apoiado em

muletas. Vestia a roupa branca de hospital e tinha o rosto pálido, com olheiras profundas e um ferimento na altura do nariz. Apesar disso, ele sorriu ao vê-la. Caminhou a passos curtos na direção dela, parando ao lado da maca, onde encostou as muletas. Fixou os olhos no curativo que ela tinha no pescoço.

"Vic... Como está se sentindo?"

"Viva", ela respondeu.

E era verdade. Sentia a energia de quem passou muito tempo debaixo d'água e finalmente chegou à superfície. Georges passou os olhos pelos aparelhos a que ela estava conectada.

"Eu errei feio", ele disse, com a cabeça baixa. "Me aproximei de você pelo motivo errado... Mas não imaginei que... Que eu ia me apaixonar. Quando aconteceu, eu parei de escrever na mesma hora. Você não merecia. Tentei te contar a verdade, me abrir com você... Mas foi tão difícil! Você podia pensar que eu era Santiago... Que eu pichei a parede... Fiquei com medo de te perder, entende?"

Ela não respondeu, de modo que ele continuou:

"Naquela noite, tentei ir atrás de você, pra me explicar e pedir desculpas, mas Arroz apareceu de repente. Ele me sequestrou, Vic. Me manteve em cativeiro todos esses dias, me torturando, fazendo mil perguntas de como eu tinha conseguido te conquistar, o que eu tinha feito..." Ele balançou a cabeça, como se tentasse reorganizar as ideias. "Mas agora... Agora a gente tem a chance de passar uma borracha em tudo."

Ele se inclinou, colocando as mãos dela entre as dele.

"Eu te amo, Vic. Te amo muito", disse, encarando-a nos olhos. "Vamos recomeçar?"

Georges se aproximou para um beijo, mas ela virou o rosto sutilmente e pediu para ele se afastar.

"Depois do que aconteceu... Eu não sei."

A decepção surgiu nos olhos dele. Ficaram se encarando, em silêncio.

Subitamente, o rosto de Victoria se iluminou.

“Mas talvez você possa me ajudar”, ela disse. “Quero escrever minha história.”

1ª EDIÇÃO [2021] 1 reimpressão

ESTA OBRA FOI COMPOSTA EM ELECTRA PELO ESTÚDIO O.L.M./ FLAVIO PERALTA
E IMPRESSA EM OFSETE PELA GRÁFICA SANTA MARTA SOBRE PAPEL PÓLEN
DA SUZANO S.A. PARA A EDITORA SCHWARCZ EM SETEMBRO DE 2025

FSC
www.fsc.org
MISTO
Papel | Apoiando o manejo florestal responsável
FSC® C005648

A marca FSC® é a garantia de que a madeira utilizada na fabricação do papel deste livro provém de florestas que foram gerenciadas de maneira ambientalmente correta, socialmente justa e economicamente viável, além de outras fontes de origem controlada.